Pe. EUGÊNIO BISINOTO, C.Ss.R.

Conheça os títulos de Nossa Senhora

Diretor Editorial:
Pe. Marcelo C. Araújo, C.Ss.R.

Editores:
Avelino Grassi
Edvaldo Manoel de Araújo
Márcio F. dos Anjos

Coordenação Editorial:
Ana Lúcia de Castro Leite

Copidesque:
Bruna Marzullo

Revisão:
Leila Cristina Dinis Fernandes

Diagramação e Capa:
Simone Godoy

Capa:
Bruno Olivoto

Dados Internacionais de Catalogação na Publicação (CIP)
(Câmara Brasileira do Livro, SP, Brasil)

Bisinoto, Eugênio
Conheça os títulos de Nossa Senhora / Eugênio Bisinoto. – Aparecida, SP: Editora Santuário, 2010.

Bibliografia.
ISBN 978-85-369-0202-9

1. Maria, Virgem, Santa – Culto 2. Maria, Virgem, Santa – Culto – História 3. Maria, Virgem, Santa – Teologia I. Título.

10-09670 CDD-232.910

Índices para catálogo sistemático:

1. Culto mariano: Mariologia: Teologia cristã 232.910
2. Maria, Mãe de Jesus: Culto: Mariologia: Teologia cristã 232.910

5ª impressão

Rua Pe. Claro Monteiro, 342 – 12570-000 – Aparecida-SP
Tel: 12 3104-2000 – Televendas: 0800 - 16 00 04
www.editorasantuario.com.br
vendas@editorasantuario.com.br

Apresentação

A devoção a Nossa Senhora já faz parte da religiosidade do povo e do patrimônio da Igreja. Os devotos procuram honrar a Mãe de Deus com piedade, de acordo com sua cultura e visão religiosa.

Entre as expressões da devoção há os títulos de Nossa Senhora. Várias pessoas fazem coleção de imagens da Mãe de Deus em seus lares e centros de visitação pública. Estabelecimentos e lugares recebem nomes marianos.

Para que os devotos possam ter uma devoção autêntica e profunda, é urgente e necessário esclarecer o sentido dos diferentes títulos marianos. Com muita simplicidade, as pessoas propõem a seguinte questão: "Nossa Senhora é uma só?".

Como evangelizadores, devemos desenvolver uma catequese mariana, mostrando que Nossa Senhora é uma só. É uma única pessoa, com denominações variadas. Trata-se da Maria de Nazaré, testemunhada pelas Sagradas Escrituras. Na Bíblia ela aparece em cerca de 183 versículos e 17 textos. São sete livros que se referem a ela.

Maria de Nazaré é a Mãe de Jesus, que nos trouxe o Salvador, acompanhou-o na vida até a hora da morte. Ela esteve junto da primeira comunidade em Jerusalém. Foi a grande animadora da Igreja em seus inícios.

A Mãe de Jesus teve e tem uma missão importante na história da salvação, oferecendo-nos a Cristo e levando-nos a Ele. Maria nos foi deixada como Mãe, por Jesus, no Calvário, quando, dirigindo-se a Ela, disse: "Mulher, eis aí teu filho". E depois disse a São João: "Filho, eis aí tua Mãe" (Jo 19,25-27).

Como Mãe da Igreja, Nossa Senhora assunta aos céus em corpo e alma, cuida de seus filhos e intercede por eles junto a seu Filho Jesus, glorificada na comunhão dos santos. Por isso podemos invocá-la e contar com sua ajuda maternal.

Desde a antiguidade cristã, a Igreja reconheceu o papel da Mãe de Jesus na história da salvação e na vida dos devotos. De acordo com sua missão e intercessão, ela foi recebendo muitos títulos ao longo dos séculos, significando sua presença na vida da comunidade e na cultura dos povos.

Os títulos marianos nasceram de devoções e locais particulares e, posteriormente, foram propagando-se para outras regiões. Várias imagens são simbólicas, trazendo uma mensagem muito rica.

Em reconhecimento às qualidades e ao auxílio de Nossa Senhora, as pessoas conferiram-lhe as denominações que se encontram na Bíblia e na tradição da Igreja. Em nossas orações e celebrações, pronunciamos vários desses títulos em forma de ladainha. É muito difundida a Ladainha Lauretana.

Cada pessoa tem preferência e simpatia por um título mariano. Uma imagem de Nossa Senhora se destaca em uma região ou em um povo. Através dessa representação o devoto reza à Mãe de Deus, suplicando-lhe sua intercessão.

O magistério eclesiástico orienta a devoção mariana, colocando a vocação e o papel de Maria dentro da história da salvação, no mistério de Cristo, na vida da comunidade e no culto litúrgico. É sempre importante e instrutivo os devotos estudarem os documentos e os pronunciamentos da Igreja a respeito da Mãe de Deus.

O livro do Pe. Eugênio Antônio Bisinoto, sacerdote redentorista, é muito oportuno para os tempos atuais. É digna de apreço e muito louvável a iniciativa do autor em oferecer aos devotos mais esta obra magnífica sobre o significado e a origem histórica dos títulos de Nossa Senhora.

As páginas do escrito do Pe. Eugênio proporcionam o conhecimento de vários títulos marianos, de maneira didática e sintética. Suas explicações são bem claras, com uma linguagem fácil e compreensível.

A obra serve para a consulta e o aprendizado de todos aqueles que têm curiosidade e interesse em saber a respeito dos bonitos títulos da Mãe de Jesus. Mesmo o clero e os agentes de pastoral poderão utilizar as informações em seu trabalho evangelizador e na formação mariana de nosso povo.

Cumprimento a Editora Santuário e o autor pela feliz ideia de publicar mais este subsídio mariano, tão necessário e formativo para a Igreja no Novo Milênio.

Desejo que os leitores possam ler as páginas deste texto precioso e conhecer os sugestivos títulos de Nossa Senhora, para que possam esclarecer suas dúvidas e crescer no amor por Aquela que continua a nos levar para Jesus e nos trazer Jesus. Felizes somos nós que temos uma Mãe carinhosa e zelosa com seus filhos. Ela é o caminho seguro para seguirmos o Salvador em nossa peregrinação, rumo ao Reino do Pai do Céu.

Que a Mãe da Igreja interceda sempre a Jesus Cristo por nós, agora, na vida e na hora em que passarmos para a Casa do Pai, onde viveremos na eternidade feliz em sua companhia com todos os santos.

Dom Raymundo Damasceno Assis
Arcebispo Metropolitano de Aparecida

Significados dos Títulos Marianos

Ao longo da história da Igreja, Nossa Senhora recebeu diversos títulos, conferidos pelo povo. Cada título tem sua origem histórica, sua propagação e seu significado na vida dos devotos.

Nos vinte séculos de história do cristianismo encontramos muitos títulos de Nossa Senhora. O notável liturgista F. G. Holweck catalogou mais de 1.025 títulos marianos, de acordo com a Enciclopédia Católica (Itália). A professora Nilza Botelho Megale, historiadora, museóloga e folclorista, apresenta, em sua pesquisa, 123 invocações da Virgem Maria no Brasil.

Os títulos marianos constituem expressões típicas do culto à Mãe de Jesus. São denominações que distinguem e qualificam aspectos particulares do mistério da Virgem Maria, exprimindo a devoção dos fiéis para com Aquela que exerceu papel fundamental na história da salvação.

Os títulos marianos testemunham e manifestam a fé da Igreja e a criatividade da religiosidade popular. Ao chamar a Mãe de Deus de diversos nomes, os devotos exprimem sua honra e carinho para com ela, de acordo com seus costumes, sua piedade, seus conhecimentos e seus sentimentos.

Na própria Bíblia nos deparamos com vários nomes que foram dados a Maria de Nazaré. Ela é chamada nos Evangelhos de "Mãe de Jesus". Essa denominação aparece 25 vezes no Novo Testamento. É designada pelo anjo Gabriel como "Cheia de Graça" (Lc 1,28). O nome de Maria é citado: 5 vezes em Mateus; 1 vez em Marcos; e 12 vezes em Lucas. Fora dos Evangelhos, apenas uma vez figura o nome de Maria: Atos dos Apóstolos (At 1,14). O evangelista João prefere mencioná-la como "Mãe de Jesus" ou "sua mãe" (Jo 2,1.3.12; 19,25-26).

Vários títulos lembram a vocação e missão de Nossa Senhora no mistério de Jesus Cristo e da Igreja. Em 431, o Concílio de Éfeso conferiu-lhe a designação de "Mãe de Deus". Em 1966, o Papa Paulo VI a declarou "Mãe da Igreja", ou seja, Mãe de todo o povo de Deus, tanto dos fiéis como dos pastores.

Outros títulos recordam acontecimentos importantes da vida da Mãe de Jesus. Ela é designada como Nossa Senhora da Conceição, da Natividade, da Anunciação, da Visitação, da Apresentação, das Dores, da Agonia, da Soledade, da Assunção, do Cenáculo, da Glória e outros.

Diversos títulos salientam as qualidades e virtudes da Mãe de Deus. Há Nossa Senhora da Alegria, da Caridade, da Humildade, da Paz, da Misericórdia e outros. Isso sugere o quanto podemos imitá-la e seguir seus exemplos.

Há títulos que se referem aos lugares onde a Virgem Maria, por privilégio especial concedido por Deus, apareceu. Ela é invocada como Nossa Senhora de Fátima, da Salete, de Lourdes, de Montserrat, de Medjugorje, de Caravaggio, do Pantanal e outros.

Muitos títulos mostram o papel de Maria Santíssima como intercessora, que ouve seus devotos e intervém em favor deles junto a Deus. Eles a designam como Nossa Senhora do Perpétuo Socorro, de Medianeira, Auxiliadora, da Consolação, da

Boa Viagem, da Saúde, das Graças, da Vitória, do Bom Conselho, da Ajuda, da Defesa, da Guia, Desatadora de Nós, dos Desamparados e tantos outros.

Os títulos alimentam nosso culto mariano, fazendo-nos pensar na identidade e no lugar de Maria na vida dos seres humanos e em nossa existência cristã. Ela é sempre a mesma pessoa, mas a veneramos com diversos nomes carinhosos e respeitosos.

Em nosso livro, explicamos a origem e o significado de vários títulos de Nossa Senhora, para que seus devotos possam conhecê-los e invocá-la com consciência e amor. Selecionamos certa quantidade de títulos e os apresentamos em ordem alfabética para facilitar a leitura e a consulta de nossos leitores.

Desejamos que nossos leitores possam informar-se a respeito dos títulos marianos, para honrar mais e melhor a Mãe de Deus. Modelo de vida cristã, Ela é o caminho que nos conduz a Jesus Cristo, nosso Salvador, e intercede por nós na comunhão dos santos, no céu.

O autor

Boa Viagem, da Saúde, das Graças, da Vitória, do Bom Conselho, da Ajuda, da Defesa, da Guia, Desatadora dos Nós, dos Desamparados e tantos outros.

Os títulos alimentam nosso culto mariano, fazendo-nos pensar na identidade e no lugar de Maria na vida dos seres humanos e em nossa experiência cristã. Ela é sempre a mesma pessoa, mas a veneramos com diversos nomes carinhosos e respeitosos.

Em nosso livro, explicamos a origem e o significado de vários títulos de Nossa [illegible] que seus devotos possam conhecê-los e invocá-[illegible] amor. Selecionamos certa quantidade de [illegible] em ordem alfabética para facilitar a [illegible]sos leitores.

Desejamos [illegible] respeito dos títulos marianos [illegible] de Deus, Mediadora [illegible] Jesus Cristo, nos [illegible] dos santos, no céu [illegible]

Títulos Marianos

Nossa Senhora da Abadia

A devoção a Nossa Senhora da Abadia é originária de Portugal.

A imagem de Nossa Senhora da Abadia é bastante antiga, procedente do Mosteiro de Bouro, situado perto de Braga, em Portugal. Por isso é também chamada Santa Maria de Bouro.

O Mosteiro de Bouro já existia naquela região por volta do ano 883. Naquele tempo, Portugal e Espanha tinham sido invadidos pelos mouros, que professavam a religião muçulmana. Com receio dos mouros, os monges abandonaram o Mosteiro e, para evitar a profanação da imagem da Virgem Santíssima, esconderam-na.

Após muitos séculos, o fidalgo Pelágio Amado e um velho ermitão viviam na ermida de São Miguel, perto de Braga. Certa noite, num vale próximo, viram que brilhava uma luz bastante forte. Quando amanheceu, foram até o local, onde encontram uma imagem de Nossa Senhora entre as pedras.

Muito devotos, os eremitas construíram naquele lugar uma simples ermida, onde colocaram a imagem. Posteriormente, com a autorização e o apoio do Arcebispo de Braga, edificaram uma igreja para abrigar a imagem. Com o aumento de prodígios realizados sob a intercessão da Virgem Maria, a devoção se espalhou e ficou conhecida em todo o país.

O culto a Nossa Senhora da Abadia foi trazido ao Brasil pelos portugueses, implantando-se, sobretudo, no Triângulo Mineiro, Goiás, Rio de Janeiro e São Paulo.

Nossa Senhora da Agonia

Nossa Senhora da Agonia apresenta a Virgem Maria de pé, com uma mão em cima da outra, à altura do coração. Traz um véu azul escuro longo, que cobre todo o corpo, deixando aparecer a túnica azul clara na parte da frente. Lembra a presença da Mãe de Jesus aos pés da cruz (cf. Jo 19,25-27).

A sua devoção marca a tradição de Viana do Castelo, Portugal. Nasceu da via-sacra que os fiéis faziam do Convento Franciscano de Santo Antônio até o Morro da Forca, onde rezavam a décima quarta estação. Nesse local foi construída a Igreja de Nossa Senhora da Agonia.

Inicialmente, sua imagem foi introduzida na Capela do Bom Jesus da Via-Sacra, em 1751. Como houve aumento de número de devotos, foi iniciada a construção da igreja mariana em 1774.

Em 1783, a autoridade eclesiástica autorizou a celebrar, todos os anos, no dia 20 de agosto, a festa em honra de Nossa Senhora da Agonia.

A romaria de Nossa Senhora da Agonia iniciou-se em 1823. Sua festa é bem movimentada, reunindo cerca de 250 mil peregrinos nos dias 18, 19 e 20 de agosto. A procissão é realizada nas ruas, com belos tapetes floridos em seu trajeto, e no mar, onde se aglutinam muitos barcos. Ela é padroeira dos pescadores.

A imagem de Nossa Senhora da Agonia chegou ao Brasil em 1994. Em Itajubá, MG, há uma igreja a ela dedicada, que pertence à Paróquia Nossa Senhora da Soledade.

Nossa Senhora da Ajuda

Nossa Senhora da Ajuda é bastante venerada pelo povo. Essa devoção é de origem portuguesa.

Em Portugal era muito comum a invocação de Nossa Senhora da Ajuda, principalmente entre os soldados e marinheiros. No período das expedições, muitas embarcações eram entregues à sua proteção. Algumas delas levavam sua imagem.

Os soldados e marinheiros eram muito devotos de Nossa Senhora da Ajuda, recorrendo à sua intercessão em missões desafiadoras. Em Lisboa, na praia de Restelo, havia uma singular ermida com esse título.

No século XVI os jesuítas trouxeram a devoção a Nossa Senhora da Ajuda para o Brasil. Na Bahia, eles lhe dedicaram duas igrejas, construídas por eles em Salvador e Porto Seguro.

Há ainda na Bahia a bonita capela de Nossa Senhora da Ajuda em Cachoeira, sendo a primeira edificada, em 1595. Em Tiradentes, MG, existe uma ermida com essa invocação.

No Rio de Janeiro, logo após sua fundação, foi construída uma pequena igreja dedicada a Nossa Senhora da Ajuda. No século XX o templo foi demolido.

A imagem de Nossa Senhora da Ajuda representa Maria de pé, com o menino Jesus sentado em seu braço esquerdo. Sua mão direita está levantada num gesto de bênção. Na igreja de Porto Seguro ela está sentada e tem um cetro na mão.

Nossa Senhora da Alegria

Nossa Senhora da Alegria representa a Virgem Maria de pé, com o menino Jesus sentado em seu braço esquerdo. Apresenta sua criança com os braços abertos. Revela feições jubilosas.

A devoção a Nossa Senhora da Alegria, também chamada "Liesse", originou-se no século XII, na França, com as cruzadas.

De acordo com a tradição, três irmãos cavaleiros, nobres e ricos de Eppe, Picardia, alistaram-se nas cruzadas, viajando para a Palestina, a fim de defender a fortaleza de Bersábia.

Entretanto, os cruzados foram vencidos pelo exército dos muçulmanos. Os irmãos foram levados para o Cairo, no Egito, e entregues ao grão-sultão, o qual tentou, de todas as maneiras, dissuadi-los da fé católica, mas eles permaneceram fiéis. Então ele enviou sua própria filha, Isméria, para persuadi-los a abraçar o islamismo.

Os cavaleiros cristãos expuseram à moça a beleza da mensagem de Jesus. Ela quis conhecer a imagem da Mãe do Salvador. Numa noite, começaram a esculpir a imagem e foram descansar. No outro dia, a imagem estava pronta de forma miraculosa.

Ficando encantada com a imagem, a princesa os libertou da prisão e fugiu com eles. Depois de um dia de caminhada, adormeceram e, quando acordaram, tinham sido transportados, prodigiosamente, para o bosque do castelo da mãe dos cavaleiros, na França. Lá foi construída a Igreja de Nossa Senhora da Alegria, que se tornou um centro de peregrinação.

Nossa Senhora do Amparo

O culto a Nossa Senhora do Amparo é bastante antigo na história do cristianismo. Está presente no coração dos devotos das diversas classes sociais.

Em Portugal a devoção é muito popular. Na cidade de Lamego, Nossa Senhora do Amparo, cuja imagem constitui obra antiquíssima, é bastante venerada.

Os marujos portugueses imploravam a proteção de Nossa Senhora do Amparo em suas viagens, de maneira que fossem guardados de todos os perigos marítimos.

Trazida pelos portugueses, a devoção se propagou pelo Brasil. Há 23 igrejas dedicadas a Nossa Senhora do Amparo. Entre elas, a mais antiga é a igreja de Olinda, Pernambuco, que já existia em 1617.

A cidade de Fortaleza, capital do Ceará, nasceu do forte fundado sob a proteção de Nossa Senhora do Amparo. Em Diamantina, Minas Gerais, o santuário mariano foi edificado no início do século XVIII.

A imagem de Nossa Senhora do Amparo representa a Virgem Maria sentada, segurando com a mão esquerda o menino Jesus de pé sobre seus joelhos. Com a mão direita ela abençoa os seus devotos. A mãe e o filho aparecem coroados. Há representações da Mãe de Deus com um cetro na mão.

Esse título liga-se à maternidade espiritual de Maria. Na cruz, Jesus Cristo confiou sua mãe ao apóstolo São João, que representava a humanidade toda (cf. Jo 19,25-27).

Nossa Senhora dos Anjos

A devoção a Nossa Senhora dos Anjos originou-se da Itália, tendo como seus propagadores os franciscanos.

A Ordem dos Frades Menores, nome oficial dado aos franciscanos, tem como patrona Nossa Senhora dos Anjos. Fundada por Santa Clara e de inspiração franciscana, a Ordem das Clarissas a coloca como protetora das capelas de seus conventos.

Numa planície próxima à cidade de Assis, na Itália, há a bela Basílica de Santa Maria dos Anjos. Em seu interior, encontra-se a capela de Porciúncula, onde São Francisco de Assis recolhia-se em oração.

De acordo com uma tradição religiosa, o nome de Santa Maria dos Anjos provém do fato de que naquela capela, erguida por peregrinos que retornavam da Terra Santa, era venerado um fragmento do túmulo da Mãe de Jesus e se ouvia o cântico dos anjos.

Na mesma capela, São Francisco teve a visão da Virgem Maria ao lado de Jesus Cristo. Ambos estavam rodeados de querubins e serafins. A pedido do fundador dos franciscanos, Jesus concedeu indulgência especial aos que visitassem a capela no dia 2 de agosto, conhecido como o "Dia do Perdão".

A imagem de Nossa Senhora dos Anjos representa a Virgem Maria de pé ou sentada sobre nuvens e rodeada de anjos. Aparece coroada. Às vezes, ela leva um ramo de flores na mão.

Sua devoção foi trazida ao Brasil pelos franciscanos.

Nossa Senhora da Anunciação

Nossa Senhora da Anunciação é um título que se origina na cena bíblica da Anunciação do Anjo Gabriel à Virgem Maria.

De acordo com a narrativa de São Lucas (cf. Lc 1,26-38), o anjo Gabriel foi enviado por Deus a Nazaré, pequena cidade situada ao norte da Palestina, na região da Galileia. Nesse lugar, ele comunicou a Maria que ela seria Mãe de Jesus Cristo, daquele que se encarnaria, assumiria a condição de pessoa humana em seu ventre virginal, para salvar a humanidade. A concepção do Salvador seria obra do Espírito Santo.

Diante da proposta de Deus anunciada por Gabriel, Maria aceitou a missão de ser Mãe do Salvador de maneira livre, disponível e generosa. Na anunciação do anjo, ela afirmou: "Eis aqui a serva do Senhor. Faça-se em mim segundo a tua palavra" (Lc 1,38).

A imagem de Nossa Senhora da Anunciação é, geralmente, representada em pinturas. Nelas aparece a Virgem Maria ajoelhada ou sentada, recebendo a comunicação do Anjo Gabriel de que seria a Mãe do Salvador.

A anunciação constituiu um dos temas mais abordados nas pinturas da Renascença, que foi o movimento cultural e artístico do século XV e XVI.

Em Portugal o culto a Nossa Senhora da Anunciação era muito divulgado, sobretudo em Lisboa e Coimbra. No Brasil a devoção surgiu já no período colonial.

Nossa Senhora da Conceição Aparecida

No Brasil, o título mariano mais conhecido é Nossa Senhora da Conceição Aparecida: cuja imagem original mede 36 centímetros e pesa, aproximadamente, dois quilos e meio. Atualmente, encontra-se no Santuário Nacional, em Aparecida, São Paulo.

De cor negra, a imagem foi encontrada pelos pescadores João Alves, Domingos Garcia e Felipe Pedroso, em outubro de 1717, no rio Paraíba do Sul, Aparecida, Estado de São Paulo. Sua devoção propagou-se por todo o Brasil.

A imagem é feita de terracota, um barro tipicamente paulista. De acordo com os estudiosos, foi esculpida em São Paulo, pelo ano de 1650, pelo monge beneditino Frei Agostinho de Jesus, nascido no Rio de Janeiro.

A imagem era policromada. Sua negritude se deve, primeiramente, à fumaça das velas queimadas em seu louvor e, depois, à sua permanência, durante muito tempo, no fundo lodoso do rio Paraíba do Sul.

Nossa Senhora da Apresentação

Nossa Senhora da Apresentação é um título dado à Virgem Maria, referindo-se a um episódio de sua vida.

De acordo com a antiga tradição religiosa, Maria foi apresentada pelos seus pais, Joaquim e Ana, no templo de Jerusalém, na Judeia, Palestina. O sumo sacerdote, que a recebeu e a apresentou, foi Zacarias, esposo de Isabel.

Conforme costume na Judeia, as meninas eram apresentadas aos sacerdotes do templo após 80 dias de seu nascimento. Já Maria foi apresentada quando tinha três anos de idade, por vontade própria, para consagrar-se totalmente ao serviço de Deus e ser educada por mulheres piedosas. Ela permaneceu ali durante doze anos, só saindo para casar-se com São José.

A memória litúrgica da apresentação de Nossa Senhora é celebrada no dia 21 de novembro. Teve origem na dedicação da Basílica de Santa Maria Nova, construída em Jerusalém, nas proximidades do templo. No Oriente, remonta ao século VI. No século VIII já era comemorada em todo o império bizantino.

Só no século XIV começou a ser celebrada no Ocidente, quando o Papa Gregório XI (1371-1378) a estabeleceu no calendário litúrgico da Igreja.

Por volta de 1599, a devoção a Nossa Senhora da Apresentação chegou ao Brasil, estabelecendo-se primeiro em Natal, Rio Grande do Norte, e dali se propagando para outros Estados.

Nossa Senhora Aquiropita

O culto a Nossa Senhora Aquiropita é antigo, iniciando--se no século VI, na Itália.

Nossa Senhora Aquiropita é venerada na Basílica de Rossano, na Calábria, Itália. De acordo com uma tradição religiosa popular, o eremita Santo Efrém vivia numa gruta, nesse lugar.

Muito devoto de Nossa Senhora, Santo Efrém solicitou, em 590, a autorização a Maurício Tibério, imperador de Constantinopla, para transformar a gruta em um santuário mariano.

O imperador decretou a ereção do santuário, cujas obras foram realizadas rapidamente. O cunhado de Maurício, Felípico, governador da província, ordenou que artistas hábeis de Bizâncio viessem e pintassem a imagem de Nossa Senhora no fundo da gruta do eremita, a qual ficara encerrada nos limites do novo templo.

Entretanto, a pintura, que era feita pelos artistas durante o dia, desaparecia à noite. Certa noite, um guarda, que vigiava a gruta, viu uma bela senhora que lhe pediu para que se retirasse. Na manhã seguinte, o governador e todo o povo puderam contemplar uma imagem de Nossa Senhora pintada no mesmo local onde os artistas tentaram pintá-la.

Os devotos reconheceram que aquela imagem havia sido pintada pela própria Virgem Maria, aclamando-a "Aquiropita", que significa "não pintada por mão humana". A devoção foi trazida para o Brasil pelos imigrantes italianos.

Nossa Senhora da Assunção

A devoção a Nossa Senhora da Assunção é muito antiga, tanto no Ocidente quanto no Oriente.

Desde a antiguidade, a Igreja costumava celebrar a festividade da Assunção de Nossa Senhora. No Oriente, desde o século VII, os cristãos comemoram a "Dormitio" (Dormição) da Mãe de Jesus, isto é, a passagem de Maria desta vida para a glória celeste.

Ainda no século VII a devoção passou ao Ocidente, por obra do Papa Sérgio I (687-701). No século seguinte a festa da "Dormitio" cedeu lugar à da Assunção. No século IX já estava espalhada por toda a parte.

Esse testemunho litúrgico antigo foi confirmado no século XX, quando o Papa Pio XII (1939-1958) definiu e proclamou, em 1950, a Assunção de Nossa Senhora como dogma de fé. Essa definição ressaltou a elevação da Virgem Maria em corpo e alma à glória celeste, depois de ter completado o curso de sua vida na Terra. Por isso, ela não precisou esperar o fim dos tempos para obter a ressurreição do corpo.

A Assunção de Nossa Senhora constitui uma solenidade da Igreja, celebrada no dia 15 de agosto. Por determinação da CNBB e autorização da Santa Sé, é celebrada no domingo depois do dia 15 de agosto, caso esse dia não caia em um domingo.

A devoção a Nossa Senhora da Assunção sempre foi marcante na piedade de Portugal e em suas colônias, incluindo o Brasil.

Nossa Senhora Auxiliadora

O culto a Nossa Senhora Auxiliadora surgiu no século XVI, com o Papa Pio V (1556-1572).

No século XVI os muçulmanos, liderados pelo seu imperador Selim I, decidiram conquistar a Europa. Com o objetivo de salvar os países católicos da invasão, Pio V conseguiu a aliança da Espanha com Veneza. A esquadra aliada venceu os inimigos em Lepanto, na Grécia, aos 7 de outubro de 1571.

Como havia recorrido à proteção de Maria para afastar o perigo ameaçador, o Papa conferiu-lhe o título de Auxílio dos Cristãos em sinal de gratidão a ela.

Todavia, a festa de Nossa Senhora Auxiliadora é mais recente, pois foi fixada pelo Papa Pio VII (1800-1823) aos 24 de maio de 1816. Essa festa manifestava seu agradecimento à Virgem Maria ter-lhe ajudado em sua libertação da prisão a que fora submetido pelo imperador Napoleão Bonaparte.

O grande divulgador da devoção foi São João Bosco. O apóstolo da juventude escolheu Nossa Senhora Auxiliadora como patrona dos salesianos e salesianas.

A imagem representa Maria de pé, segurando com o braço esquerdo o menino Jesus, vestido de uma camisola branca. Ela usa uma capa presa ao pescoço, que cobre as pernas do menino. Tem o braço direito estendido, segurando com a mão o meio do cetro.

Nossa Senhora de Belém

Nossa Senhora de Belém é o título conferido à Virgem Maria por ter dado à luz, em Belém, no Oriente Médio, a Jesus Cristo, o Salvador, que veio ao mundo revelar o mistério de Deus e anunciar o projeto do Reino de Deus (Mt 1,18-25; Lc 2,1-7).

Belém está localizada a 7 km ao sul de Jerusalém. No tempo de Jesus, era um povoado com cerca de 2 mil habitantes. Hoje é uma cidade de 30 mil. Nela também nasceu Davi, o rei do povo de Israel.

Em 330, o imperador Constantino, cristão convertido, ordenou que construísse uma basílica sobre a gruta de Natividade. Nela havia uma imagem bizantina da Mãe de Deus, que se tornou conhecida pela invocação de Nossa Senhora de Belém. Sua devoção se propagou pelo Ocidente, atingindo Portugal através de peregrinos que visitaram a Palestina.

Nos começos do século XV, Dom Henrique, fundador da escola de Sagres, mandou edificar uma igreja dedicada a Nossa Senhora de Belém, na praia do Restelo, em Lisboa, para que protegesse e guiasse os navegadores em suas expedições.

Sua devoção foi trazida para o Brasil pelos portugueses, espalhando-se por todo o seu território. Em Belém do Pará e Itatiba, há paróquias dedicadas a Nossa Senhora de Belém. Ela é também a titular da catedral em Guarapuava, Paraná.

Nossa Senhora de Belém representa Maria com o menino Jesus mais crescido. Ele está sentado no colo de sua mãe, abraçando sua mão.

Nossa Senhora do Belo Ramo

A devoção a Nossa Senhora do Belo Ramo surgiu na França, em Lestelle, no século XVI.

Seu santuário localiza-se ao sul da França. É também denominada Nossa Senhora de Bétharram, que se origina do vocábulo hebraico e significa "Belo Ramo".

Conforme a tradição, o título mariano provém de um fato miraculoso. Em certa ocasião, uma jovem estava colhendo flores nas encostas do rio Gave. Todavia, ela caiu no rio e suplicou o auxílio da Virgem Maria. Imediatamente, viu perto de uma mão um ramo e agarrou-se nele, podendo salvar-se. Demonstrando sua gratidão, providenciou um ramo de ouro e o colocou na mão da Mãe de Jesus. Lá surgiu o templo mariano.

Devido aos conflitos religiosos do século XVI, o santuário foi destruído em 1589, mas a imagem primitiva foi levada pelos católicos para a Espanha, onde é cultuada com a denominação de Nossa Senhora à Francesa ou Nossa Senhora à Gasconha.

O segundo santuário foi construído em 1614. Suas obras finais foram concluídas em 1661. Em 1841, o Pe. Miguel Garricoits fundou a Congregação dos Padres do Sagrado Coração de Jesus, os betharramitas, que passaram a cuidar do santuário.

No século XIX, a devoção foi levada para a América Latina pelos migrantes bascos. Chegando ao Brasil em 1935, quando se instalaram em Passa Quatro, MG, os betharramitas a difundiram em vários lugares.

Nossa Senhora da Boa Esperança

Nossa Senhora da Boa Esperança representa a Virgem Maria de pé, com o Menino Jesus em seu braço esquerdo. Com a mão direita ela segura uma âncora, simbolizando a esperança.

A devoção a Nossa Senhora da Boa Esperança é cara na vida dos cristãos, pois eles sempre recorreram a ela na expectativa de serem socorridos em suas necessidades. Essa invocação é antiga, uma vez que na liturgia romana Maria tem sido chamada "Esperança dos Desesperados".

Sua devoção já estava presente na religiosidade portuguesa. Na época das navegações, Bartolomeu Dias fez sua viagem perto da costa da África no oceano Atlântico, quando chegou à ponta extrema do sul do continente e enfrentou lá uma tempestade muito forte. Denominou a passagem de Cabo das Tormentas. Posteriormente, o rei D. João II modificou o nome para Cabo da Boa Esperança, significando sua confiança em atingir as Índias.

Na igreja do Mosteiro dos Jerônimos, em Lisboa, há uma imagem mariana com o título de Nossa Senhora da Boa Esperança. Acredita-se que essa imagem teria acompanhado Vasco da Gama em sua travessia marítima rumo às Índias.

Sua devoção marcou a piedade dos brasileiros no tempo colonial. Existem diversas imagens de Nossa Senhora da Boa Esperança executadas por artistas famosos, como em São Paulo, no Mosteiro da Luz, e no Rio de Janeiro, na igreja de Nossa Senhora do Carmo.

Nossa Senhora da Boa Morte

Nossa Senhora da Boa Morte retrata Maria de pé, que, em geral, está deitada num caixão ou numa cama. Suas mãos estão cruzadas sobre o peito.

A devoção a Nossa Senhora da Boa Morte lembra o desfecho de vida de Maria aqui na Terra. De acordo com antigas tradições, ela terminou sua existência terrestre pelo ano 42 d. C., quando tinha por volta de 60 anos ou mais. Seu corpo foi colocado num sepulcro novo, no Getsêmani, sobre o qual, posteriormente, foi edificada uma pequena igreja. Após três dias, os apóstolos, que foram visitar o túmulo, encontram-no vazio e perceberam um suave perfume de flores que exalava dali.

Por causa de seu desfecho de vida, Nossa Senhora da Boa Morte tem sido invocada como a protetora dos agonizantes. Nos últimos instantes de vida, os devotos recorrem ao auxílio dela, suplicam-lhe uma morte serena e a salvação eterna.

O culto de Nossa Senhora da Boa Morte fazia parte da piedade dos portugueses. Foi trazido por eles para o Brasil, integrando-se à cultura religiosa do povo. As irmandades de Nossa Senhora da Boa Morte cultivaram e difundiram a devoção, contribuindo para a construção de várias igrejas.

A devoção a Nossa Senhora da Boa Morte atingiu, primeiramente, Salvador, na Bahia. De lá deslocou para Cachoeira, no Recôncavo baiano. É também honrada em Olinda (PE), São Paulo (SP), Mariana (MG), Goiás Velho (GO) e Rio de Janeiro (RJ).

Nossa Senhora da Boa Viagem

O culto a Nossa Senhora da Boa Viagem é muito antigo em Portugal, entre os navegantes.

O culto surgiu na época das grandes navegações. O nome de Nossa Senhora da Boa Viagem designou muitas naus que saíram em direção ao caminho das Índias e do Brasil.

Em 1618, os navegantes portugueses ergueram uma igreja dedicada a Nossa Senhora da Boa Viagem, perto de Lisboa, para incrementar sua devoção. Aspiravam à proteção certa da Mãe de Deus para suas viagens marítimas. Mandaram confeccionar a imagem em madeira estofada.

A imagem representa Maria de pé com o menino Jesus sentado em seu braço esquerdo, ambos usando coroas reais. Com a mão direita segura uma nau. Tem um véu grosso sobre a cabeça. Sob seus pés, que se apoiam numa nuvem, observam-se o mar e vários veleiros.

No Brasil a devoção iniciou-se na Bahia, onde foi edificada uma pequena igreja junto à praia. Em 1707, nos arredores de Recife, em Pernambuco, foi erguida uma capela, pegada à praia. Posteriormente, o culto difundiu-se para outros Estados, como Rio de Janeiro, Minas Gerais e São Paulo.

Com o surgimento de novos meios de transportes, Nossa Senhora da Boa Viagem, que era uma devoção típica dos viajantes da água, passou a ser venerada também pelos viajantes da terra.

Nossa Senhora do Bom Conselho

A devoção a Nossa Senhora do Bom Conselho é bastante antiga. Provavelmente essa invocação provenha dos inícios do cristianismo, pelo fato de que a Mãe de Jesus foi a conselheira exímia dos apóstolos e das comunidades nascentes.

A pequena e pitoresca cidade de Genazzano, na Itália, localizada próxima de Roma, é famosa pelo grande número de peregrinações que acontecem no Santuário de Nossa Senhora do Bom Conselho.

No período dos primeiros imperadores cristãos, Genazzano foi doada aos papas. No século V, o Papa Sixto III (432-440) mandou edificar ali uma igreja dedica a Nossa Senhora do Bom Conselho.

Com a falta de recursos e reformas, a igreja mariana ficou deteriorada. Todavia, Pedrina, uma rica viúva e muito devota, resolveu reconstruí-la, mas as obras ficaram incompletas.

De acordo com a tradição popular, aos 25 de abril de 1467, apareceu em uma das paredes da igreja uma imagem de Nossa Senhora do Bom Conselho, pintada em afresco, a qual foi transladada de uma igreja da Albânia, de forma miraculosa, por uma nuvem. Dois libaneses, Solavis e Georgi, confirmaram o episódio.

Após o aparecimento misterioso da imagem, as manifestações de piedade popular redobraram e, pouco tempo depois, foram concluídas as obras da igreja mariana.

Nossa Senhora do Bom Despacho

O culto a Nossa Senhora do Bom Despacho originou-se em Portugal, no século XVII, quando se tem notícia das primeiras festas e romarias em Cervães, Maia e Campanário. Os principais devotos eram os homens do mar.

Existe na localidade de Cervães, em Braga, o Santuário de Nossa Senhora do Bom Despacho, construído em 1644. Foi fundado por obra de João da Cruz, natural de Monção, em cumprimento de um voto que fizera à Mãe de Deus, ao recuperar sua saúde.

Em Maia, no Porto, a capela de Nossa Senhora do Bom Despacho foi edificada em 1670. Os marinheiros são muito devotos dela, reconhecendo sua proteção diante dos perigos no mar.

A igreja de Nossa Senhora do Bom Despacho em Campanário foi fundada em 1672.

Seu culto foi trazido ao Brasil pelos frades agostinianos, no século XVIII, propagando-se, principalmente, nos lugares de mineração de Minas Gerais.

A matriz da cidade mineira de Bom Despacho, antiga Paragem do Picão, é dedicada a Nossa Senhora do Bom Despacho. Foi erguida em 1771.

Em Cachoeira do Campo, MG, há a capela de Nossa Senhora do Bom Despacho, construída nos inícios do século XVIII. Há outras igrejas com a mesma invocação em Cuiabá, MT, Sabará, MG, e Aliança, PE.

Nossa Senhora do Bom Sucesso

Nossa Senhora do Bom Sucesso representa Maria com o menino Jesus, que se encontra deitado em seus braços. Seu filho, um recém-nascido, cuja cabeça traz uma coroa, está despido.

No século XVII, em Lisboa, Portugal, Eyria de Brito, mulher ilustre e virtuosa, filha de João de Brito e de Antônia de Atay, casou-se, aos 14 anos, com Diogo Forjas Pereira, conde de Feira. Enviuvando aos 18 anos, casou-se novamente com o primeiro conde de Atalaya, Dom Francisco Manoel.

Eyria era muito devoto da Virgem Maria, aspirando a ter uma imagem sua. Certo dia, um peregrino desconhecido deixou em sua casa uma imagem mariana e não buscou mais. Ignorando sua invocação, ela a colocou em seu oratório, onde participava da missa.

Após a condessa fundar o convento, as religiosas dominicanas puseram o menino nos braços da imagem. Conferiram-lhe o título de Nossa Senhora do Bom Sucesso, por revelação que teve uma religiosa. Tornou-se a patrona da casa.

Sua devoção foi trazida ao Brasil pelos portugueses. Atualmente há 17 igrejas dedicadas a Nossa Senhora do Bom Sucesso.

Inicialmente, Nossa Senhora do Bom Sucesso era invocada pelos devotos para auxiliá-los na boa morte, intercedendo à salvação eterna deles. Posteriormente, passaram a suplicar-lhe também êxito no parto e no progresso material, como o socorro nos momentos cruciais da doença.

Nossa Senhora do Brasil

Nossa Senhora do Brasil representa Maria com feições indígenas, segurando no braço esquerdo o menino Jesus. Mãe e filho ostentam no peito os respectivos corações em cor vermelha.

Havia em 1735, na igreja da Penha, em Recife, Pernambuco, a imagem de Nossa Senhora dos Sagrados Corações, escolhida pelos capuchinhos para padroeira de sua prefeitura apostólica. Possivelmente foi esculpida pelos primeiros jesuítas que chegaram ao Brasil. Era venerada pelos índios e permaneceu algum tempo em uma de suas aldeias.

Quando os capuchinhos italianos chegaram a Pernambuco, colocaram a imagem na igreja matriz de Recife. Em 1828 Frei Joaquim de Afrágola enviou a imagem para a sede de sua Ordem em Nápoles, Itália, para protegê-la das profanações dos templos, ocasionadas por movimentos sediciosos naquela cidade.

Depois de ficar algum tempo na alfândega, a imagem foi colocada na igreja de Santo Efrém, em Nápoles. Logo os napolitanos passaram a venerá-la, chamando-a Madona do Brasil. Aos 22 de fevereiro de 1840, um grande incêndio destruiu completamente o templo, mas a imagem permaneceu intacta.

A imagem só foi redescoberta pelos brasileiros em 1924, quando o bispo D. Frederico de Souza Costa, em viagem a Nápoles, foi conhecê-la e trouxe a sua devoção para o Brasil. A primeira igreja a ela dedicada foi inaugurada no Rio de Janeiro, em 1930.

Nossa Senhora da Cabeça

Nossa Senhora da Cabeça representa a Virgem Maria de pé, com o menino Jesus no braço esquerdo. Ela segura com a mão direita uma cabeça masculina de cera.

A devoção a Nossa Senhora da Cabeça originou-se na Espanha, onde se encontra o Pico da Cabeça, na Serra Morena, em Andaluzia. Próxima a esse pico fica a cidade de Adujar, com terras boas para a criação de gado.

Entre os pastores que viam naquela região, havia o jovem João Rivas, piedoso e muito devoto de Nossa Senhora. Seu braço foi mutilado na guerra contra os mouros.

Em 12 de agosto de 1227, quando caiu a noite, Rivas avistou uma forte luz, que vinha do monte da Cabeça. Ouviu também o toque de uma campainha. Dirigiu-se ao local e entrou numa gruta, quando encontrou sobre a rocha uma estátua de Nossa Senhora e, ao lado dela, presa a um galho, uma campainha, que tocava sozinha.

Rivas ajoelhou-se diante da imagem, ouvindo uma voz doce da Mãe de Deus que lhe pedia para comunicar ao povo que construísse ali um templo dedicado a ela. Confirmando sua mensagem, ela restituiu-lhe o braço amputado. Vendo o rapaz curado, o pároco, as autoridades e os fiéis passaram a venerar Nossa Senhora da Cabeça, proclamando-a padroeira da cidade e erguendo um santuário em sua honra.

A devoção espalhou-se pela Espanha e chegou ao Brasil no período colonial.

Nossa Senhora da Candelária

O culto a Nossa Senhora da Candelária surgiu no século XV, em Tenerife, nas ilhas das Canárias.

Por volta de 1400, dois pastores guardavam o seu rebanho perto de uma gruta. Certo dia observaram que os animais se recusavam a entrar na gruta onde eram guardados à noite. Quando entraram, descobriram a imagem de uma Senhora com o filho ao colo dentro da gruta, cercada por numerosas velas.

Os nativos do lugar passaram a cultuar a imagem sem saber exatamente quem ela era, pois não eram cristãos. No final do século XV, um espanhol cristão desembarcou na ilha e explicou-lhes o mistério da imagem mariana.

Após a conquista das ilhas pelos espanhóis, os missionários jesuítas não tiveram dificuldades em converter os nativos, já devotos da Mãe de Deus. A Virgem Maria recebeu o título de Candelária, por causa das candeias que iluminavam sua imagem.

Em 1672 foi erguido o Santuário em honra de Nossa Senhora da Candelária. A imagem ficou no altar até 1826, quando uma inundação devastou o lugar. A imagem atual, venerada pelos fiéis, foi esculpida em 1827.

Em 1867 o Papa Pio IX (1846-1878) proclamou Nossa Senhora da Candelária como padroeira do arquipélago. Somente em 1889 a imagem foi coroada de forma solene.

Nossa Senhora de Caravaggio

O culto a Nossa Senhora de Caravaggio nasceu no século XV, na Itália.

A cidade italiana de Caravaggio está localizada entre os estados de Milão e Veneza. No segundo quartel do século XVI, a região atravesava uma situação de batalhas sangrentas. Havia muita divisão e rixas entre venezianos e milaneses.

Aos 26 de maio de 1432, Nossa Senhora apareceu a uma piedosa camponesa de 32 anos, Giannetta Vacchi, em Caravaggio. Casada muito moça e contra a sua vontade, ela era muito maltratada pelo marido. Sofria as injustiças com admirável resignação.

Giannetta era muito devota da Mãe de Jesus. Após ser espancada pelo esposo, foi recolher feno no campo, mas sem quase condições. Foi quando a Virgem Maria lhe apareceu, pedindo ao povo que rezasse, fizesse penitência e, em sinal de gratidão, dedicasse um sábado em sua honra. Abençoando a jovem com o sinal da cruz, desapareceu, deixando no solo vestígios de seus pés. No mesmo lugar brotou inexplicavelmente uma fonte de água.

Inúmeros devotos passaram a vir a Caravaggio para ver as marcas dos pés da Mãe de Deus e beberem a água da fonte sagrada, conseguindo muitas curas milagrosas por intercessão dela. Por causa da grande afluência, foi construído um majestoso Santuário.

Com a intercessão de Nossa Senhora de Caravaggio, houve pacificação na região e também serenidade no lar de Giannetta.

O culto foi trazido ao Brasil pelos italianos.

Nossa Senhora da Caridade

Nossa Senhora da Caridade foi proclamada padroeira de Cuba em 10 de maio de 1916, pelo Papa Bento XV. Em 20 de janeiro de 1936, foi solenemente coroada em Santiago de Cuba.

De acordo com a tradição, a imagem mariana foi encontrada em 1607 por três crianças cubanas: os irmãos João e Rodrigo de Joyos, indígenas, e João Moreno, crioulo.

Por ordem do administrador da fazenda onde residiam, as crianças foram buscar sal na baía de Nipe, para alimentar o gado. Como chovia e o mar estava agitado, permaneceram três dias numa choupana.

No terceiro dia, pela manhã, embarcaram numa canoa e avistaram uma imagem que flutuava em sua direção. A imagem de Nossa Senhora tinha aproximadamente quarenta centímetros e estava sobre uma tábua, com a seguinte inscrição: "Eu sou a Virgem da Caridade".

De cor clara e rosto redondo, a Virgem da Caridade segurava em seu braço esquerdo o menino Jesus e, numa das mãos, ostentava uma esfera, simbolizando o mundo.

As crianças recolheram a imagem e levaram-na para o administrador, que ordenou que edificasse uma ermida para ela.

Em 1703 foi construído o atual santuário, que fica a 430 passos da Vila do Cobre, para onde acorrem muitos devotos de Cuba e das Antilhas.

Nossa Senhora da Caridade é venerada em diversos países da América Central, nos Estados Unidos e na Espanha.

Nossa Senhora do Carmo

Cadeia montanhosa na Palestina, perto do mar Mediterrâneo, o Carmelo, cantado na Bíblia por sua beleza e rica vegetação, foi o cenário de atuação do profeta Eliseu, o qual defendeu a pureza da fé israelita no Deus vivo. No século XII, alguns eremitas fundaram lá a Ordem dos Carmelitas, de vida contemplativa, sob o patrocínio da Virgem Maria.

São Simão Stock (1165-1265), de origem inglesa, era eremita. Posteriormente, tornou-se carmelita, tendo sido eleito o superior geral da Ordem. A Virgem Maria lhe apareceu em 16 de julho de 1251 e lhe entregou o escapulário, como símbolo de união com a Mãe de Deus e sinal de devoção e pertença a ela. Foi denominada Nossa Senhora do Carmo.

Em 1322, o Papa João XXII aprovou o uso do escapulário como sinal de proteção. O Pontífice solicitou aos que o usassem que rezassem, diariamente, três Ave-Marias e três Glórias em honra à Virgem Maria, suplicando o seu amparo e a salvação eterna.

O Papa João Paulo II testemunhou o seguinte: "Eu devo muito, nos anos de juventude, ao escapulário carmelitano. É encantador que a mãe se mostre sempre solícita e se preocupe com a roupa dos filhos, para que se apresentem bem vestidos. Essa veste é o escapulário. E quando se rasga, a mãe procura consertá-lo. A Virgem do Carmo fala-nos desse cuidado materno, dessa preocupação em vestir-nos no sentido espiritual. Vestir-nos com a graça de Deus e ajudar-nos a conservar essa roupa sempre limpa".

Nossa Senhora do Cenáculo

Nossa Senhora do Cenáculo representa a Virgem Maria de pé, com mãos postas, uma em cima da outra, sobre o peito, em postura de oração. Sua cabeça está coberta com um véu longo, que se estende sobre seu corpo. Sua túnica é longa, presa à altura da cintura.

A devoção a Nossa Senhora do Cenáculo tem fundamento bíblico. O cenáculo é uma sala superior de uma casa localizada na cidade de Jerusalém, onde Jesus Cristo celebrou a última ceia com seus discípulos e apareceu-lhes depois da ressurreição e onde eles receberam a vinda do Espírito Santo no dia de Pentecostes (Mc 14,14-15; Lc 24,33; At 1,13; 2,1).

A Mãe de Jesus estava no cenáculo com os apóstolos e discípulos, reunidos em oração, à espera do Espírito Santo, prometido pelo Cristo (cf. At 1,12-14). Ela aparece orante, suplicando a presença do Espírito Santo para a Igreja.

A origem da devoção a Nossa Senhora do Cenáculo é europeia. Fundadas na Alemanha, no final do século XIX, por São Arnoldo Janssen (1837-1909), as Servas do Espírito Santo e da Adoração Perpétua consideram Maria como modelo de oração e de docilidade ao Espírito Santo.

Sua devoção chegou ao Brasil no início do século XIX, trazida pelas religiosas de Janssen. Há imagens de Nossa Senhora do Cenáculo em comunidades religiosas, igrejas e casas de retiro. Em 1956, foi fundado o Instituto Religioso de Nossa Senhora do Cenáculo em São Gonçalo, Rio de Janeiro.

Nossa Senhora da Conceição

A devoção a Nossa Senhora da Conceição é bastante marcante no Brasil. Aproximadamente 31 cidades trazem esse título. Cerca de 553 paróquias são a ela dedicadas.

Essa invocação refere-se ao dogma da Imaculada Conceição de Maria, que foi definido pelo Papa Pio IX, em 8 de dezembro de 1854. Essa verdade de fé ensina que ela foi concebida livre do pecado original.

Mesmo antes do dogma, a Igreja introduziu, em 1476, no calendário romano, por iniciativa do Papa Sisto IV, a festa da Imaculada Conceição de Maria, a ser celebrada em 8 de dezembro.

Em Portugal, a devoção a Nossa Senhora da Conceição fez parte integrante do povo. Seu culto foi oficializado por D. João IV, o primeiro rei da dinastia de Bragança, o qual foi aclamado rei em 1º de dezembro de 1640, ocasião em que começava a oitava da festa da Imaculada Conceição.

Em 1646, tendo a aprovação das Cortes de Lisboa, o rei dedicou a Nossa Senhora da Conceição o Reino de Portugal. A festa da Imaculada Conceição de Maria passou a ser oficial e obrigatória em Portugal e em suas colônias.

Nossa Senhora da Conceição, também chamada Imaculada Conceição, representa Maria que está sobre o globo terrestre e esmaga uma cobra. Com túnica branca e manto azul, ela está de mãos juntas, em postura de oração. Tem cabelos longos caídos sobre os ombros. Geralmente sob os seus pés há um crescente de lua.

Nossa Senhora da Confiança

A imagem de Nossa Senhora da Confiança representa a Virgem Maria de pé, trajando uma túnica branca. Junto ao peito, porta com seu braço esquerdo uma cruz, lembrando a fé; uma âncora, simbolizando a esperança; e um coração, significando a caridade. Sua mão direita está estendida. Sua cabeça está coberta de um curto véu branco. Tem uma coroa dourada, enfeitada de 33 pedrinhas, recordando os anos de vida terrestre de Jesus.

A devoção a Nossa Senhora da Confiança originou-se no Brasil. Em 1959, em São Paulo, a irmã Alice Maria Senise, do Colégio Notre Dame, no Sumaré, conferiu esse título a Mãe de Jesus.

Sempre que passava de ônibus, a irmã observava a imagem no cemitério protestante do Redentor, sobre um dos túmulos. Em março de 1959, como notou que ela não mais estava lá, procurou-a e a localizou no lixo. Após o zelador autorizar, levou-a para sua residência.

A religiosa providenciou a restauração da imagem, que, a partir de 20 de janeiro, permaneceu no Colégio Notre Dame. Em 10 de fevereiro de 1960, foi transferida para a residência episcopal, sendo colocada na capela privada. Todavia, a imagem original desapareceu e só há atualmente cópias dela.

Nossa Senhora da Confiança ficou registrada na Cúria Metropolitana. A irmã Alice e os Legionários de Maria passaram a divulgar seu culto para todo o Brasil e outros países. Tornou-se padroeira do Seminário Maior de Roma.

Nossa Senhora Conquistadora

A devoção a Nossa Senhora Conquistadora, também chamada Nossa Senhora da Conquista, surgiu no século XVII, no Brasil.

Nossa Senhora Conquistadora equivale a pintura da Imaculada Conceição. Retrata Maria com as mãos postas, de pé sobre um crescente de lua, apoiada por uma nuvem. Com seus pés ela pisa sobre uma serpente, símbolo do mal.

Nossa Senhora Conquistadora foi um título dado pelo padre jesuíta Roque Gonzáles. No início do período colonial, no extremo oeste do Estado do Rio Grande do Sul, à margem esquerda do rio Uruguai, ele e seus companheiros jesuítas fundaram as reduções dos setes povos indígenas, evangelizando-os e organizando-os em comunidades. Em suas aldeias edificavam igrejas.

Padre Roque fundou a primeira redução em 1626. Nela ergueu uma igreja de pau a pique, coberta de palha, dedicada a Nossa Senhora de Candelária, e nela celebrou a primeira missa.

Para evangelizar os indígenas, Pe. Roque percorreu, em canoa pelo rio Ibicuí, 50 léguas, trazendo consigo um quadro da Imaculada Conceição. Ele a intitulou de Nossa Senhora Conquistadora, porque, ao chegar naquele território, conseguiu conquistar dois caciques, que se tornaram as colunas das reduções.

Tendo em vista que foi o primeiro título mariano que penetrou em terras gaúchas, Nossa Senhora Conquistadora é considerada a protetora do Rio Grande do Sul.

Nossa Senhora da Consolação

A devoção a Nossa Senhora da Consolação é bem antiga, remontando aos primórdios da Igreja de Jesus.

Desde os tempos dos apóstolos, a Virgem Maria começou a ser invocada como Consoladora. Após a gloriosa ascensão de Jesus, Maria foi para os discípulos de Cristo verdadeira mãe, consolando-os e encorajando-os na desafiadora missão de propagar a fé cristã. Tornou-se a consoladora dos aflitos, que estão espalhados no mundo inteiro.

Os agostinianos foram os grandes divulgadores do culto a Nossa Senhora da Consolação. A própria conversão de Santo Agostinho é atribuída a ela, depois de tantas orações e lágrimas de Santa Mônica, sua mãe.

A devoção a Nossa Senhora da Consolação está presente nos lares cristãos, sendo considerada a padroeira do lar, que alivia os sofrimentos daqueles que a invocam com piedade. Consegue a unidade nos lares e a conversão dos filhos desviados.

Na cidade de São Paulo, há a igreja de Nossa Senhora da Consolação, cuja torre mede 75 metros de altura. A primeira igreja foi edificada em 1799 pelos seus devotos no antigo caminho da aldeia de Pinheiros, hoje a conhecida Avenida da Consolação. Em 1840 foi ampliada. Em 1907 foi derrubada para em seu lugar ser construída a nova igreja.

Nossa Senhora Consolata

A devoção a Nossa Senhora Consolata é antiga, surgiu em Turim, Itália, no século IV. De acordo com a tradição, Santo Eusébio, que fora expulso da Palestina pelo Imperador Constâncio em 354, levou uma imagem mariana para seu amigo, São Máximo.

São Máximo colocou a imagem em uma capela, localizada ao lado da igreja dedicada a Santo André. Com o tempo, os devotos passaram a invocá-la como Nossa Senhora Consoladora, conferindo-lhe o título popular de Consolata.

Em 840, os bispos de Turim confiaram a imagem aos beneditinos. Ela foi escondida no porão da igreja, para evitar que fosse despedaçada pelos iconoclastas da época. Posteriormente, com a destruição da igreja de Santo André por uma guerra, a capela onde se encontrava a imagem também foi atingida, ficando enterrada sob os escombros.

Os cristãos conservaram sua devoção. Tempos mais tarde, Arduíno, rei da Itália, edificou uma capela a Nossa Senhora Consolata, agradecendo-lhe uma cura milagrosa. Essa capela foi também destruída.

Em junho de 1104, João Ravache, um cego, teve uma visão na qual aparecia uma imagem mariana sepultada sobre os destroços de uma igreja em ruínas. Viu também Maria, que lhe pediu para escavar no lugar indicado e resgatar o quadro, prometendo-lhe que enxergaria de novo. Em 20 de junho, ele ordenou que escavassem no local onde havia uma torre de uma velha igreja destruída em Turim, e a imagem debaixo dos escombros foi reencontrada.

Nossa Senhora da Copacabana

A devoção a Nossa Senhora da Copacabana é latino-americana, dos inícios da evangelização dos povos indígenas.

No século XVI, na Bolívia, havia a pequena cidade de Copacabana, situada às margens do lago Titicaca. Rodeada pela Cordilheira Real, era a capital da Província de Manco Cápac.

Habitadas pelos incas, com suas tradições religiosas, Copacabana e as regiões vizinhas foram um dos primeiros lugares a serem evangelizados pelos missionários católicos, que ali chegaram com as tropas espanholas.

Em Copacabana, vivia Dom Francisco Tito Yupanqui, descendente dos antigos reis dos incas. Cristão convertido, era fervoroso devoto da Mãe de Deus. Prometeu a si mesmo que conseguiria uma imagem mariana para converter o povo de sua cidade.

Como não havia nenhum escultor cristão na região, ele próprio resolveu esculpir a imagem. Em virtude de seus escassos talentos artísticos, não obteve bons resultados nas primeiras tentativas. Com orações e muitos esforços, conseguiu esculpir uma imagem razoável, que, depois de retocada, ficou perfeita e encantadora.

A imagem foi entronizada na capela da cidade em 2 de fevereiro de 1583. Com o tempo, a capela transformou-se no Santuário de Nossa Senhora da Copacabana, centro importante de peregrinações. Em 1805 a imagem foi coroada. Em 1925 Nossa Senhora de Copacabana foi proclamada padroeira da Bolívia.

Nossa Senhora De Czestochowska

Nossa Senhora de Czestochowska, também denominada Nossa Senhora do Monte Claro, é a padroeira da Polônia. Localizado na colina de Jasna Gora, seu santuário constitui centro nacional e contínuo de peregrinação do país e das nações vizinhas, reunindo cerca de 4 milhões de pessoas por ano.

Nossa Senhora de Czestochowska é um quadro de 82 cm de largura, 12,7 cm de altura e 3,5 de espessura. Trata-se de um ícone mariano, com a pintura sobre a madeira, em estilo bizantino. Classificado como Odigitria, retrata Maria mostrando o menino Jesus com sua mão direita. Segura-o com seu braço esquerdo. Ele está com o braço direito erguido, portando o evangelho na mão esquerda.

A origem do quadro é datada entre os séculos V e VIII. Após passar por diversos proprietários, foi levado ao castelo de Betz, na Polônia, pelo príncipe Ladislau Opolcziyk como despojo de guerra. Ele mandou construir em Jasna Gora uma igreja, que desde 1382 mantém a imagem de Nossa Senhora de Czestochowska sob os cuidados dos monges paulinos.

Danificado por ocasião de pilhagem dos hussistas em 1430, o quadro, por determinação do rei Ladislau Jagiello, foi restaurado pelos artistas da corte dos Augsburgos. No século XVI, coroaram-se a Virgem Maria e o menino Jesus com coroas reais oferecidas por Ladislau IV. As coroações papais ocorreram em 1717 e 1910.

Sua devoção foi trazida ao Brasil pelos poloneses, que chegaram a Curitiba, Paraná, em 1871.

Nossa Senhora da Defesa

Ao longo de sua história, a Igreja sempre confiou no auxílio da Mãe de Deus. Um dos belos títulos que estão ligados ao patrocínio da Virgem Maria é Nossa Senhora da Defesa.

A devoção a Nossa Senhora da Defesa surgiu na Itália, no período das imigrações. Durante o inverno, um exército dos godos invadiu a Bacia de Ampezzano. Reagindo contra a invasão do povo bárbaro, os italianos organizaram-se para proteger suas famílias e seu território. Eram pessoas muito piedosas.

Em sua luta contra os godos, os católicos, sentindo-se mais fracos, invocaram o auxílio da Virgem Maria. Diz a tradição que ela apareceu num trono sobre as nuvens, trazendo uma espada na mão.

Quando os invasores estavam prontos para a batalha, a Mãe de Deus desceu sobre aquele lugar. As nuvens, que a cercavam, provocaram uma escuridão enorme, a tal ponto que os godos, sem boa visão e confusos, não se reconheciam e lutavam contra si. O resultado foi espantoso: os inimigos se matavam, até que o último soldado tombou sem vida.

Os italianos festejaram a derrota do exército inimigo, considerando que haviam sido protegidos pelo patrocínio de Nossa Senhora da Defesa.

A imagem de Nossa Senhora da Defesa passou a ser venerada com grande devoção. Até os dias atuais encontra-se na Catedral de Ozieri, em Sassari, cidade da Itália. Sua festa é comemorada no dia 18 de janeiro.

Nossa Senhora dos Desamparados

A devoção a Nossa Senhora dos Desamparados é antiga, tendo surgido no século XV.

Na cidade de Valência, Espanha, aos 24 de fevereiro de 1409, o Pe. Jofre, que caminhava pela rua, presenciou um grupo de rapazes que atormentava um demente, o qual, em suas crises de loucura, afligia os transeuntes. Sensibilizado com a cena, o presbítero resolveu fundar uma confraria para auxiliar os pobres e meninos desamparados.

Contando com o apoio de leigos cristãos, Pe. Jofre criou a confraria, montando um albergue para a obra social, com uma capela anexa. Colocando a confraria sob proteção de Nossa Senhora dos Desamparados, decidiu providenciar uma imagem que representasse essa invocação.

O sacerdote aceitou a proposta de dois jovens peregrinos que se apresentaram como escultores passando por Valência para confeccionar a imagem. Com o testemunho de uma senhora cega e paralítica, os escultores fizeram a obra em três dias e desapareceram. Essa senhora conseguiu ver a imagem, recuperando-se de sua cegueira e de sua paralisia.

A notícia da cura da mulher atraiu muitos devotos, que foram à capela para venerar a imagem. Muitos outros prodígios foram obtidos pela intercessão de Nossa Senhora dos Desamparados.

Como a capela ficou pequena para acolher os visitantes, foi construído um formoso santuário em 1667. O povo transladou a imagem para a nova Igreja, e Nossa Senhora dos Desamparados passou a ser a padroeira de Valência.

Nossa Senhora Desatadora de Nós

A devoção a Nossa Senhora Desatadora de Nós é recente no Brasil, mas é antiga na Alemanha.

O povo alemão venera Nossa Senhora Desatadora de Nós na cidade de Augsburg. Por volta de 1700, o presbítero responsável pela Igreja de St. Peter am Perlach, localizada no centro dessa cidade, encomendou ao pintor Johann Schimttdner um quadro da Virgem Maria, de 1,10 m de largura por 1,82 m de altura.

O quadro de Nossa Senhora Desatadora de Nós é a óleo, em estilo barroco alemão. Nele a Mãe de Deus é retratada como a Imaculada Conceição, tendo sobre sua cabeça o Espírito Santo, o qual lhe derrama suas luzes. Tem a lua sob seus pés e com eles esmaga a serpente.

A cabeça da Virgem Maria está adornada de doze estrelas. Um dos anjos entrega-lhe uma faixa com nós maiores e menores, separados e juntos. Esses nós simbolizam os pecados e as aflições que impedem as pessoas de desfrutar livremente a vida de graças. Ela é invocada como aquela que auxilia o devoto a desatar os males que o atormentam.

A devoção chegou à Argentina no final do século XX. Uma cópia do quadro foi entronizada na igreja paroquial de San José del Talar, aos 8 de dezembro de 1996, em Buenos Aires. Rapidamente a igreja transformou-se num santuário de grande afluxo de peregrinos. De lá a devoção veio para o Brasil no final de 1999 ou início de 2000.

Nossa Senhora do Desterro

Nossa Senhora do Desterro retrata São José conduzindo o burrico que carrega a Virgem Maria, sentada de lado com o menino Jesus ao colo. Seu esposo segura na mão um cajado.

Nossa Senhora do Desterro lembra a passagem bíblica, descrita pelo evangelista São Mateus, em que a Família Sagrada fugiu para o Egito, para salvar o menino Jesus, pois o rei Herodes tinha a intenção de matá-lo (Mt 2,1-15). De Belém até o Egito, fizeram longa viagem, percorrendo cerca de 250 quilômetros, durante cinco ou seis dias.

Possivelmente, a Família Sagrada ficou em Macarié, perto de Heliópolis. Depois de dois ou três anos de permanência no Egito, retornou para a Palestina, quando Arquelau, filho de Herodes, sucedeu seu pai na Judeia. Temendo o novo rei, José e Maria, com o menino Jesus, foram residir em Nazaré, na Galileia (Mt 2,16-23).

No Brasil, o culto a Nossa Senhora do Desterro foi muito propagado durante a colonização, quando os portugueses, que deixavam sua terra, afeiçoavam-se à piedade mariana como meio de consolo para a saudade que enfrentavam no novo mundo.

A devoção a Nossa Senhora do Desterro continua fazendo parte da religiosidade do povo brasileiro. Há várias igrejas dedicadas a ela. Em Casa Branca, São Paulo, há o Santuário de Nossa Senhora do Desterro, que atrai grande número de devotos. Sua festa é celebrada no dia 16 de fevereiro.

Nossa Senhora da Divina Providência

Nossa Senhora da Divina Providência representa a Virgem Maria olhando ternamente uma criança, que se encontra deitada em seu colo, segurando a mãozinha, como que para protegê-la. Somente sua cabeça está cercada por uma auréola. A criança não tem a auréola, representando a humanidade.

Nossa Senhora da Divina Providência já era invocada na Itália desde o século XII, sendo representada em pintura e afrescos. Mas só em 1732 seu culto foi reconhecido oficialmente pela Santa Sé e propagado em todo o mundo.

Em 1659, o Papa Alexandre VII decidiu embelezar Roma, ampliando algumas praças. Para tanto foi necessário demolir parte de um antigo convento. Ao cortarem uma de suas paredes, os pedreiros encontraram um belo afresco mariano. O arquiteto pediu que fosse tirado com cuidado, mas o afresco caiu, partindo-se totalmente.

Para indenizar os religiosos do convento, o arquiteto adquiriu outro quadro mariano, que foi colocado no oratório de São Carlos, onde se reuniam para exercícios de piedade, conferindo-lhe o nome de Nossa Senhora da Divina Providência. Naquela ocasião, no Mosteiro das Irmãs Angélicas, em Milão, a Virgem Maria era venerada com o mesmo título.

Os padres barnabitas trouxeram a devoção para o Brasil em 1903. Há cinco paróquias brasileiras dedicadas a Nossa Senhora da Providência. Ela é considerada protetora dos padres barnabitas e das irmãs angélicas. É padroeira de Porto Rico.

Nossa Senhora do Divino Amor

A devoção a Nossa Senhora do Divino Amor nasceu no século XVIII, na Itália.

O santuário de Nossa Senhora do Divino Amor está localizado a uns 15 km de Roma, no campo. A imagem mariana, que está no santuário, é pintada acima do arco de uma torre de um castelo.

A devoção surgiu na primavera do ano de 1740, quando um peregrino que se dirigia a Roma foi salvo do ataque de cães graças ao auxílio da Virgem Maria. De acordo com a tradição, o peregrino, visando diminuir a distância de sua caminhada para Roma, percorreu os campos.

Quando chegou perto do castelo, o peregrino percebeu que seria atacado por uma matilha de cães ferozes. Desesperado, viu a imagem de Nossa Senhora no alto da torre vizinha e suplicou-lhe que o ajudasse a se livrar do perigo iminente. Imediatamente os cães se afastaram e ele se salvou, manifestando sua gratidão à Mãe de Jesus.

Ao chegar a Roma, o peregrino narrou o acontecido, ocasionando, em seguida, peregrinações até o castelo. Paulatinamente, o santuário tornou-se um centro popular para onde afluem inúmeros devotos.

Nossa Senhora do Divino Amor apresenta Maria de pé, com os cabelos soltos sobre os ombros. Suas mãos estão cruzadas sobre a cintura, segurando uma pomba, simbolizando o Espírito Santo.

Nossa Senhora das Dores

A Igreja comemora a memória de Nossa Senhora das Dores no dia 15 de setembro. Essa memória vem depois da celebração da festa da exaltação da Santa Cruz, que transcorre no dia 14 de setembro.

O Papa Pio VII introduziu a memória de Nossa Senhora das Dores no calendário romano em 1814. O Papa Pio X a estabeleceu para o dia 15 de setembro em 1913.

A devoção às dores de Nossa Senhora foi, inicialmente, mais popular que litúrgica. Foi muito difundida pelos pregadores, entre os quais se destacaram os franciscanos, os cistercienses, os servitas e os passionistas.

A memória de Nossa Senhora das Dores ressalta sua participação ativa na obra redentora e nos sofrimentos de Jesus Cristo, como se evidencia nos evangelhos: a profecia do velho Simeão (Lc 2,25-35), a fuga para o Egito (Mt 2,13-15), a perda de Jesus no Templo de Jerusalém (Lc 2,41-50) e Jesus na cruz (Jo 19,25-27). Os devotos são convidados a venerar a Mãe das Dores associada ao Salvador da humanidade.

Nossa Senhora da Esperança

Nossa Senhora da Esperança constitui uma invocação do primeiro milênio da história do Cristianismo. Seu culto foi aprovado oficialmente pelo Concílio de Toledo, em 656.

A partir da Espanha a devoção a Nossa Senhora da Esperança propagou-se por toda a Europa. Às vezes, ela é identificada como Nossa Senhora do Ó, do Amor Divino ou da Expectação, recordando assim a espera do parto pelo qual Maria deu à luz Jesus Cristo.

O mais antigo santuário de Nossa Senhora da Esperança fica na cidade de Mezières, na França. Foi edificado em 930.

Em Portugal, na época dos grandes descobrimentos marítimos, já existia a devoção. Entre os seus devotos figurava Pedro Álvares Cabral, que possuía a imagem dela em sua casa. Quando ele chegou ao Brasil, em 1500, trouxe consigo sua imagem.

Quando frei Henrique de Coimbra celebrou a primeira missa no Brasil, era a imagem de Nossa Senhora da Esperança, de Cabral, que se encontrava sobre o altar. Atualmente, essa imagem está na cidade de Belmonte, Portugal, numa capela onde o navegador teria sido batizado.

A imagem de Cabral foi novamente trazida ao Brasil em 1955, por ocasião do Congresso Eucarístico Internacional no Rio de Janeiro.

Nossa Senhora da Esperança representa Maria de pé, com o menino Jesus sentado em seu braço esquerdo, segurando com a mão direita o pezinho dele.

Nossa Senhora de Fátima

Aos 13 de maio de 1917, durante a Primeira Guerra Mundial, Nossa Senhora apareceu numa pequena aldeia de Portugal, chamada Fátima, a três pastorzinhos: Lúcia, de 10 anos, Francisco, de 9 anos, e Jacinta, de 7 anos. O local exato era denominado Cova de Iria, com bastante espaço e descampado.

No mesmo dia 13 dos cinco meses seguintes, a Virgem Maria tornou a aparecer. Sua última aparição foi no dia 13 de outubro, quando aconteceu o milagre do Sol. Cinquenta mil pessoas testemunharam o sol "dançando" no céu e parecendo que ia cair na Terra antes de retomar o seu lugar normal.

Em sua mensagem, Nossa Senhora pedia para as pessoas rezarem o Rosário, fazerem sacrifícios pelos pecadores e abandonarem o pecado. Jacinta e Francisco faleceram poucos anos depois das aparições. Lúcia tornou-se religiosa.

Após diligente e rigoroso exame dos fatos, as aparições de Fátima tiveram o reconhecimento oficial da Igreja em 13 de outubro de 1930. Fátima tornou-se um dos maiores centros de espiritualidade mariana.

Nossa Senhora da Glória

Nossa Senhora da Glória retrata a Mãe de Deus de pé, com seu filho no braço esquerdo. Ambos ostentam coroas em suas cabeças. Ela traz um cetro em sua mão direita.

Outra representação de Nossa Senhora da Glória apresenta a Virgem Maria sendo coroada no céu pela Santíssima Trindade.

Nossa Senhora da Glória refere-se à Mãe de Jesus já assunta ao céu, depois de cumprir sua missão aqui na Terra. Está ressuscitada e viva junto de Deus na comunhão dos santos. Sua assunção gloriosa constitui um dogma de fé dos cristãos, proclamado em 1º de novembro de 1950 pelo Papa Pio XII.

A devoção a Nossa Senhora da Glória faz parte do patrimônio religioso do povo brasileiro. Já havia muitos devotos dela no tempo colonial. A primeira capela construída em sua honra no Brasil foi em Porto Seguro, em 1503.

No Brasil há 68 igrejas dedicadas a Nossa Senhora da Glória. A igreja de Nossa Senhora da Saúde e Glória, em Salvador, Bahia, foi edificada no século XVIII. As igrejas de Nossa Senhora da Glória de Conselheiro Lafaiete, em Minas Gerais, e do Largo Machado, no Rio de Janeiro, foram erguidas no século XIX.

A festa de Nossa Senhora da Glória é celebrada no dia 15 de agosto. Precedida, em geral, de novena piedosa, sua festa abrange a celebração solene da missa e a procissão com a imagem pelas imediações de sua igreja.

Nossa Senhora das Graças

Nossa Senhora das Graças, também conhecida como Nossa Senhora da Medalha Milagrosa, é uma invocação mariana do século XIX.

Em 27 de novembro de 1830, a Virgem Maria apareceu à jovem noviça Catarina Labouré, de 24 anos, quando recolhida em oração, na Capela das Filhas da Caridade, em Paris, na França.

A Mãe de Deus ordenou à noviça que cunhasse uma medalha, modelada conforme suas instruções, e depois passasse a difundi-la. A medalha traz de um lado a imagem de Maria de pé, com os braços abertos e raios saindo de suas mãos abertas. Os pés se apoiam num globo e estão esmagando uma serpente. A outra face traz um M encimado por uma cruz e embaixo dois corações. Ao redor da medalha está escrita a jaculatória: "Ó Maria, concebida sem pecado, rogai por nós que recorremos a vós".

Nossa Senhora manifestou o propósito de que os devotos levassem a medalha dependurada no pescoço e que rezassem frequentemente a jaculatória por ela ensinada.

Depois de resistir certo tempo, o diretor espiritual de Catarina, Pe. Aladel, encaminhou o pedido de cunhagem da medalha ao arcebispo de Paris, Dom Quelen. Em 1832 o bispo deu autorização, e assim a medalha foi cunhada e muito propagada. Foi denominada "Medalha Milagrosa", porque originou muitos milagres e conversões obtidos pela intercessão da Mãe de Jesus.

Nossa Senhora das Grotas

A devoção a Nossa Senhora das Grotas surgiu no Brasil, no século XVIII.

Nossa Senhora das Grotas é padroeira da Diocese de Juazeiro, no Estado da Bahia. O título é local, dado pelos devotos.

A tradição conta que um índio da tribo dos tamaqueús encontrou a pequena imagem da Virgem Maria numa das grotas situadas às margens do Rio São Francisco. O lugar, denominado de Passagem do Juazeiro, na Bahia, era onde os frades franciscanos tinham fixado, em 1706, um reduto evangelizador para a catequese dos índios.

Depois de encontrá-la, o indígena mostrou a imagem a um vaqueiro que estava passando pelo local. Eles levaram-na a um frade franciscano.

O religioso e os dois felizardos entregaram a imagem para uma baronesa que residia perto do local do encontro. A imagem ficou conhecida e passou a ser venerada por muitos devotos.

Em 1710, os frades franciscanos construíram, com a ajuda dos fiéis, a primitiva capela para colocar a imagem da Virgem Maria, intitulando-a Nossa Senhora das Grotas.

Em 26 de março de 1840, a Missão da Vila de Juazeiro foi elevada a Freguesia. A capela de Nossa Senhora das Grotas transformou-se em matriz paroquial.

Com o tempo, Juazeiro desenvolveu-se, tornando-se cidade. Em 21 de julho de 1962, o Papa João XXII criou a Diocese de Juazeiro, sob a proteção de Nossa Senhora das Grotas.

Nossa Senhora de Guadalupe

Famosa na América Latina é Nossa Senhora de Guadalupe, cuja devoção surgiu a partir de 1531, quando ela apareceu a um índio, Juan Diego, numa colina perto da Cidade do México. De acordo com a antiga tradição, sua imagem ficou impressa no manto do índio.

A imagem ficou alguns dias na capela episcopal de Dom Fr. Juan de Zumárraga. Em 26 de dezembro de 1531, foi solenemente levada para uma ermida aos pés da colina de Tepeyac.

O culto a Nossa Senhora de Guadalupe espalhou-se rapidamente, muito contribuindo para a propagação da fé entre os indígenas. Após a construção sucessiva de três templos na colina de Tepeyac, foi edificado, em 1709, o atual santuário, o qual foi elevado à Basílica por Pio X em 1904.

Aos 12 de outubro de 1885, a imagem foi solenemente coroada, por concessão de Leão XIII. Em 1910, o Papa Pio XI proclamou-a Padroeira da América Latina. Em 1945, o Papa Pio XII deu-lhe o título de "Imperatriz da América". Sua festa é celebrada no dia 12 de dezembro.

Nossa Senhora da Guia

Nossa Senhora da Guia representa Maria sentada ou de pé, segurando o menino Jesus, amparando-o e protegendo-o. Outras vezes, retrata a Mãe de Deus com a mão direita estendida para os devotos, orientando-os.

Em outras imagens, Nossa Senhora da Guia apresenta a Mãe de Deus com uma estrela na mão direita, recordando a estrela de Belém, que guiou os magos do Oriente para visitar o Salvador da humanidade (cf. Mt 2,1-12).

O título de Nossa Senhora da Guia mostra, de maneira adequada, a missão que Maria exerceu em relação a Jesus Cristo. Ela foi a mãe dedicada e amorosa que amparou e orientou seu filho com seu esposo, São José.

A Igreja do Oriente venera Maria com o ícone de Odigitria, que significa condutora, guia. Essa imagem oriental representa a Mãe de Deus que, em posição frontal, segura no braço o menino Jesus que abençoa e com o outro o aponta a quem olha para o quadro. Oferece Jesus aos homens, pois é para Cristo que ela quer guiar e conduzir as pessoas.

Nossa Senhora da Guia faz parte da religiosidade do povo brasileiro. Há 24 igrejas dedicadas a ela. Provavelmente, o primeiro tempo a ela consagrado foi a capela construída pelos carmelitas no século XVI, no porto de Cabedelo, junto à foz do rio Paraíba. Edificada no século XVIII, a atual igreja é um dos monumentos históricos e religiosos mais belos da Paraíba.

Nossa Senhora da Humildade

Nossa Senhora da Humildade constitui um dos belos títulos atribuídos à Virgem Maria. É também chamada Nossa Senhora dos Humildes. Sua festa é celebrada na segunda-feira depois da oitava da Páscoa.

Nossa Senhora da Humildade é venerada na Vila dos Arcos, em Portugal. Conforme a tradição, sua imagem foi trazida da Índia por um devoto, nos inícios do século XVII.

A imagem portuguesa de Nossa Senhora da Humildade é feita de madeira, bem esculpida. A Virgem Maria é retrata de acordo com as proporções de uma mulher normal. Ela é formosa e modesta, com um manto de seda. Apresentando-se com as mãos levantadas, traz uma rica coroa de prata.

Sua devoção chegou ao Brasil trazida pelos portugueses, por volta de meados do século XVIII. Há a igreja de Nossa Senhora da Humildade em uma pequena cidade, à margem da BR-101, próxima à Feira de Santana, na Bahia. Em Santo Amaro da Purificação existe outra igreja. Na Diocese de Picos, Piauí, há também uma paróquia dedicada a ela.

Os estudiosos não sabem quando surgiu o título de Nossa Senhora da Humildade. Possivelmente a razão da invocação foi para honrar a profunda humildade da Mãe de Jesus.

O evangelista Lucas, no texto do Magnificat, destaca a humildade de Maria (cf. Lc 1,48). O Concílio Vaticano II declara que ela "se sobressai entre os humildes e os pobres do Senhor" (LG, n. 55).

Nossa Senhora do Imaculado Coração

O Imaculado Coração de Maria é uma memória celebrada no terceiro sábado após o domingo de Pentecostes. Foi introduzida em 1944 pelo Papa Pio XII (1939-1958).

A devoção ao Imaculado Coração de Maria é antiga. Vários Padres da Igreja mencionam o Coração de Maria em seus textos, tais como: Santo Efrém, São Jerônimo e Santo Agostinho. São frequentes os louvores ao Coração de Maria na literatura eclesiástica, como se nota em Santo Anselmo, Santo Tomás, São Boaventura, Santo Aberto Magno e São Francisco de Sales.

Seguindo o exemplo de Santo Inácio de Loyola, seu fundador, os jesuítas foram os apóstolos do Imaculado Coração de Maria. No século XVII, São João Eudes foi o principal arauto desta invocação, publicando sua obra clássica: "O Coração Admirável da Santíssima Mãe de Deus". Surgiram vários institutos religiosos sob a proteção cordimariana, como o dos Filhos do Imaculado Coração de Maria, fundado por Santo Antônio Maria Claret, em 1849.

Em 1799 o Papa Pio VI (1775-1799) autorizou que a Diocese de Parma celebrasse a festa em honra do Imaculado Coração de Maria. Já em 1805 o Papa Pio VII (1800-1823) autorizou essa festa a todos os bispos que a tivessem requerido a Roma.

Em 1855 o Papa Pio IX (1846-1878) autorizou que a festa tivesse Missa e Ofício próprios. Em 1942 Pio XII consagrou o gênero humano ao Imaculado Coração de Maria.

Nossa Senhora da Lampadosa

Nossa Senhora da Lampadosa apresenta Maria com o menino Jesus Cristo sentado em seu braço esquerdo. Ele segura uma pomba, que representa o Espírito Santo. Ela ainda ostenta na mão direita um coração.

Sua devoção tem origem europeia. A invocação de Nossa Senhora da Lampadosa, padroeira dos escravos, provém de uma imagem da Virgem Maria venerada na Ilha de Lampadosa (ou Lampadusa). Essa ilha, situada no mar Mediterrâneo, entre a Sicília e o norte da África, tem 20 km^2 de extensão.

Os negros escravos trouxeram a imagem de Nossa Senhora da Lampadosa para o Brasil, levando-a para o Rio de Janeiro. A Irmandade da Lampadosa foi fundada antes de 1740 por um grupo de devotos. Primitivamente, era composta por escravos.

Incipientemente, a Irmandade de Lampadosa ficou sediada na Igreja do Rosário. Como os irmãos desejavam construir sua sede própria, conseguiram que o casal Pedro Coelho da Silva e Teresa de Jesus Almeida fizesse a doação do terreno. Ali edificaram a capela de Nossa Senhora da Lampadosa, inaugurada em 1748. Posteriormente, fizeram reformas necessárias nela, transformando-a em uma igreja bonita e vistosa.

De acordo com os estudiosos de história, Tiradentes participou da missa celebrada na porta da igreja de Nossa Senhora da Lampadosa e comungou, antes de ser enforcado. Em 1930 ela foi demolida, e foi construída uma nova igreja. A primitiva imagem mariana é de tamanho reduzido e em pedra pintada.

Nossa Senhora da Lapa

Nossa Senhora da Lapa representa a Virgem Maria de pé sobre as nuvens, tendo as mãos postas. Está cercada de resplendor, encimada pela pomba do Espírito Santo.

A invocação de Nossa Senhora da Lapa é antiga. Em 983, durante a invasão dos mouros a Portugal, o Convento das irmãs beneditinas foi atacado, e muitas irmãs foram aprisionadas ou mortas. Algumas conseguiram escapar e levaram consigo uma imagem de Nossa Senhora, escondendo-a numa gruta de Quintela, perto do Convento, a fim de livrá-la da profanação dos muçulmanos.

Em 1498, Joana, uma menina pastora e muda de nascença, encontrou a imagem naquela gruta, enquanto cuidava das cabras e ovelhas. Guardando-a em sua cesta, ela rezava diante dela durante seu trabalho, todos os dias.

Em uma tarde fria, quando Joana estava em casa e rezava diante da imagem, sua mãe, julgando que fosse uma boneca, lançou-a ao fogo da lareira. De repente, a filha começou a falar, dizendo que era uma imagem de Nossa Senhora, e logo a retirou do fogo. Sua mãe ficou com o braço direito paralisado. Ambas rezaram diante da Virgem Maria. Posteriormente, sua mãe recuperou-se da paralisia, graças à intercessão da Mãe de Deus.

O pároco local colocou a imagem num altar de sua igreja paroquial, mas por três vezes ela desapareceu e foi achada na sua antiga lapa. O sacerdote e povo construíram ali uma capela em sua honra. Paulatinamente, a capela transformou-se em um grande santuário, para o qual os devotos acorrem a fim de venerar Nossa Senhora da Lapa.

Nossa Senhora do Leite

Nossa Senhora do Leite retrata Maria amamentando o menino Jesus. Ela aparece sentada ou de pé.

Nossa Senhora do Leite resgata um aspecto importante da missão da Virgem Maria: a amamentação materna. Durante a sua existência aqui, na Terra, ela foi uma mãe perfeita e carinhosa, que alimentou, com seu leite, Jesus Cristo, o Salvador, nos primeiros meses de sua vida humana.

Provavelmente a devoção a Nossa Senhora do Leite surgiu na Palestina. Perto da cidade de Belém, há uma gruta onde existe uma pedra bem branca. As mães costumam raspar e extrair o pó branco dessa pedra para mesclá-lo com água, a fim de avolumar o leite ou conservá-lo para as crianças que estão amamentando. De acordo com a tradição, Maria, enquanto fugia com José para o Egito, parou naquela gruta e, ao amamentar seu filho, teve um pouco de seu leite caído sobre a pedra, alvejando-a.

As imagens de Maria amamentando o menino Jesus foram feitas na cultura mediterrânea e europeia, sobretudo a partir do final da Idade Média. Antes tímidas, idealizadas e celestes, essas imagens tornaram-se sempre mais concretas e expressivas, mais próximas do cotidiano humano e familiar, reforçando a maternidade da Virgem Maria e a humanidade de Jesus Cristo.

A arte gótica mais tardia e o renascimento produziram várias representações da Mãe de Jesus aleitando seu filho. São figuras que servem para a instrução e culto dos devotos.

Nossa Senhora do Líbano

Nossa Senhora do Líbano representa Maria vestida de uma túnica branca, com um manto azul. Aparece com os braços abertos, tendo os cabelos caídos sobre os ombros. Usa uma coroa aberta sobre a cabeça. Seus pés estão sobre uma torre, que está circundada pela rampa em espiral.

O culto mariano dos libaneses é muito fervoroso. Remonta aos primeiros séculos do cristianismo. Seus ancestrais, os fenícios, conheceram a Mãe de Jesus.

A devoção do povo libanês à Mãe de Deus permanece até hoje. Para comemorar o centenário da proclamação do dogma da Imaculada Conceição, em 1910, por iniciativa do patriarca maronita Elias Pedro Hoayeck, foi edificado um santuário no alto do Haruça, no Monte Líbano, próximo à Baía de Djuniche, num dos lugares mais belos do Líbano. Em cima do templo há uma imagem da Imaculada Conceição, confeccionada na França e com o peso de cerca de 14 toneladas.

Em 1954, o Papa João XIII, ainda cardeal, coroou solenemente a imagem de Nossa Senhora do Líbano, recordando os 50 anos da construção do santuário.

Nossa Senhora do Líbano é também venerada no Brasil, principalmente nas colônias sírio-libanesas. Em 1931 os sacerdotes maronitas fixaram-se no Rio de Janeiro, erguendo um colégio e uma igreja dedicada à padroeira dos libaneses. Sua festa é celebrada todo primeiro domingo de maio.

Nossa Senhora de Loreto

Nossa Senhora de Loreto é padroeira dos aviadores. Retrata a Mãe de Jesus magra e alta. Veste sobre a túnica uma capa triangular, que vai até os pés, cobrindo seus braços. Tem a cabeça coberta por um véu curto. Traz no peito vários colares. Percebe-se que o menino Jesus, que segura um globo terrestre, está de pé sobre seus braços.

A invocação de Nossa Senhora de Loreto origina-se da Santa Casa de Loreto, localizada hoje numa colina bem no centro da cidade de Loreto, na Itália. De acordo com os relatos históricos, essa Casa é a humilde casa habitada por Maria em Nazaré, transportada para lá de maneira prodigiosa.

A imperatriz Santa Helena, mãe de Constantino, edificou um bonito templo ao redor da casa de Maria, em Nazaré, para que permanecesse intacta. Séculos depois, em 1291, os muçulmanos, ao conquistarem a Palestina, destruíram o templo. Todavia, Deus protegeu a casa de Maria, transportando-a para a colina de Tersato, na Dalmácia.

Em 10 de dezembro de 1294, a casa de Maria foi, novamente, transportada para um bosque perto da cidade de Recanati. Oito meses depois foi, mais uma vez, transladada para outro lugar, próximo dali. No final de 1295, houve sua última transladação, para onde se encontra até hoje.

Posteriormente, foi construído um majestoso santuário, para guardar a casa de Maria. O Papa Sixto V (1585-159) mandou gravar na fachada da igreja a inscrição: "Casa da Mãe de Deus, onde o Verbo de Deus se fez carne".

Nossa Senhora de Lourdes

O título de Nossa Senhora de Lourdes é bastante conhecido e um dos mais venerados dentro da fé católica. Essa denominação provém do nome de uma cidade ao sul da França, onde aconteceu a aparição da Virgem Maria.

Lourdes está localizada no alto dos Pirineus, quase na fronteira com a Espanha. Cidade pobre, sua população mantinha-se apenas do trabalho agrícola e da exploração de pedreiras. Lá morava a menina Bernadette Soubirous, a vidente.

No dia 11 de fevereiro de 1858, Nossa Senhora apareceu pela primeira vez a Bernadette, na gruta de Massabielle, perto de Lourdes. A aparição repetiu-se mais 17 vezes, no mesmo ano. Ela se manifestou com o nome de Imaculada Conceição, confirmando o dogma proclamado quatro anos antes.

Nossa Senhora também deixou uma mensagem de oração e penitência para a conversão dos pecadores. Há uma insistência na recitação do rosário. Em 18 de janeiro de 1862, a Igreja autorizou o culto mariano.

Lourdes tornou-se grande centro de piedade cristã. Mais de cinco milhões de peregrinos chegam lá anualmente, em busca de fé e alívio.

Nossa Senhora de Lujan

Nossa Senhora de Lujan é a imagem da Imaculada Conceição, tendo a lua debaixo de seus pés. Seu corpo está todo coberto por um manto bordado, só aparecendo seu rosto e suas mãos. Ela usa uma coroa imperial na cabeça.

O Santuário de Nossa Senhora de Lujan fica 60 km a oeste de Buenos Aires, Argentina. Sua imagem é genuinamente brasileira.

De acordo com a tradição, um rico fazendeiro, de origem portuguesa e habitante de Sumampa, encomendou de um amigo brasileiro uma imagem da Imaculada Conceição para colocá-la na capela de sua fazenda.

Atendendo a seu pedido, o amigo enviou-lhe duas imagens, guardadas em caixotes separados: Imaculada Conceição e Mãe de Deus com o menino nos braços. Chegada de navio a Buenos Aires, a encomenda seguiu viagem com outras mercadorias, em carros de boi.

Às margens do rio Lujan, os mercadores fizeram uma parada. No dia seguinte, como os bois não conseguiam arrastar o carro onde estavam as imagens, resolveram aliviar a carga. Só depois que tiraram a caixa que continha a Imaculada Conceição os bois saíram do lugar. A imagem foi levada para a fazenda de Rosendo de Oramas, onde foi colocada num oratório.

Posteriormente, foi construída uma capela. Com o aumento de peregrinos, a capela foi transformada em esplêndida basílica. Nossa Senhora de Lujan foi coroada em 1887. Foi declarada padroeira da Argentina em 1930.

Nossa Senhora da Luz

Nossa Senhora da Luz representa a Virgem Maria de pé, segurando no braço esquerdo o menino Jesus, o qual traz uma vela ou lamparina na mão esquerda. Ela aparece vestida com uma túnica, coberta por um manto comprido. A mãe e o filho estão coroados.

A invocação de Nossa Senhora da Luz é por causa de uma luz intensa que brilhava sobre a fonte do Machado, em Carnibe, Portugal, em 1453. A luz indicava o local onde se encontrava uma imagem da Mãe de Jesus.

Natural de Carnibe, Pedro Martins, casado com Inês Anes, fora feito prisioneiro pelos mouros, quando se dirigia para suas propriedades, em Algarve. Em seu cativeiro no norte da África, ele suplicou a intercessão de Maria pela sua libertação.

Durante trinta noites seguidas, a Mãe de Jesus lhe apareceu em sonho. Na última noite, ela prometeu-lhe que, ao acordar, ele estaria liberto, na sua cidade natal, mas pediu-lhe que erguesse a ela uma capela no lugar em que localizasse uma imagem sua, por indicação de uma luz.

Livre, Pedro encontrou uma imagem escondida entre as pedras, perto da fonte do Machado. Com a autorização do bispo de Lisboa, foi construída ali uma capela dedicada a Nossa Senhora da Luz.

Sua devoção foi difundida pelos jesuítas e beneditinos no Brasil. Há 21 paróquias brasileiras dedicadas a Nossa Senhora da Luz. Sua festa é celebrada no dia 8 de setembro.

Nossa Mãe da Igreja

Mãe da Igreja é um título precioso, concedido à Virgem Santíssima na segunda metade do século XX. No Brasil há 13 igrejas dedicadas a essa denominação.

A origem dessa invocação é recente. Aos 21 de novembro de 1964, ao encerrar a terceira sessão do Concílio Vaticano II, o Papa Paulo VI (1963-1978) declarou Maria como Mãe da Igreja.

Em seu discurso, Paulo VI afirmou: "Para a glória da Virgem e para nosso conforto, proclamamos Maria Santíssima 'Mãe da Igreja', isto é, de todo o povo de Deus, tanto dos fiéis como dos pastores que lhe clamam Mãe amorosíssima; e queremos que com este título suavíssimo seja a Virgem doravante ainda mais honrada e invocada por todo o povo cristão".

Nossa Senhora é invocada como Mãe da Igreja por sua maternidade divina. Ela é Mãe de Jesus Cristo, que é a cabeça da Igreja. Como povo de Deus, a Igreja é o Corpo de Cristo dentro da história atual da salvação. Por isso, Maria é também Mãe de todos os membros da comunidade cristã.

Mãe do Salvador, Nossa Senhora é a Mãe da Igreja na ordem da graça, porque cooperou e coopera na obra da salvação da humanidade. Glorificada na comunhão dos santos, Ela intercede por todos os seus filhos espirituais junto a Cristo. Vela e auxilia a comunidade cristã, desde o início de sua história até dos dias de hoje. É modelo de fé, caridade e esperança do povo de Deus.

Nossa Senhora Mãe de Deus

Nossa Senhora Mãe (ou Madre) de Deus representa Maria de pé, segurando o menino Jesus. Em outras imagens, ela e São José, seu esposo, aparecem ajoelhados, adorando o recém-nascido, que se encontra deitado num berço ou numa pequena cama. Algumas vezes eles são retratados de pé, com auréola em suas cabeças.

Mãe de Deus constitui título que a Igreja conferiu à Virgem Maria. Refere-se ao dogma mariano mais antigo. Ao condenar Nestório como herege, o Concílio de Éfeso definiu explicitamente que ela é a Mãe de Deus ("Theotokos"), aos 22 de junho de 431. É verdadeiramente Mãe de Jesus Cristo, que é, ao mesmo tempo, Deus e homem.

A partir do Concílio de Éfeso, desenvolveu-se bastante o culto mariano. Foram incrementadas as imagens de Maria com o menino Jesus ao colo. Diversos ícones passaram a retratar sua maternidade divina.

Em Portugal, a invocação de Nossa Senhora Mãe de Deus começou durante o reinado de D. João II, que governou de 1481 a 1495. Por iniciativa de sua esposa, a rainha D. Leonor, a estátua mariana foi introduzida no convento de irmãs por ela construído.

Sua devoção no Brasil remonta ao período colonial. Há cinco igrejas dedicadas a Nossa Senhora Mãe de Deus. Em Recife, Pernambuco, a igreja foi iniciada em 1700. Na Ilha de Madre de Deus, no Recôncavo Baiano, o santuário foi fundado por volta de 1679.

Nossa Senhora Mãe dos Homens

Nossa Senhora Mãe dos Homens retrata Maria de pé, com o braço levantado, abençoando os seus devotos. Em seu braço esquerdo segura o menino Jesus, que porta uma cruz na mão esquerda. Mãe e filho trazem uma coroa real na cabeça. Com uma túnica e um manto que lhe envolve o corpo, ela ostenta um véu curto, caído sobre seus ombros.

O título de Nossa Senhora Mãe dos Homens originou-se no século XVIII, em Portugal, e foi dado pelo Frei João de Nossa Senhora, franciscano e exímio orador sacro.

Frei João viveu no Convento de São Francisco das Chagas, de Xabregas, bairro de Lisboa. Ele tinha o costume de sair pelas ruas e passar pelas tabernas com o crucifixo na mão, convertendo os homens de seus vícios e apresentando-lhes a Mãe de Deus. Ele afirmava que ela é também a Mãe dos Homens que, com carinho, os escuta em seus momentos difíceis.

Para confeccionar a imagem de Nossa Senhora Mãe dos Homens, Frei João contratou o escultor José de Almeida, que a fez em madeira e lhe cobrou boa soma em ouro. O franciscano pagou-lhe com a ajuda de pessoas que participavam de suas pregações.

Sua devoção chegou ao Brasil, sendo trazida para Minas Gerais pelo irmão Lourenço de Nossa Senhora, membro da família Távora, que erigiu a primitiva capela em 1774, no alto da serra do Caraça. Há 13 paróquias dedicadas a Nossa Senhora Mãe dos Homens.

Nossa Senhora dos Mártires

Nossa Senhora dos Mártires é venerada na Paróquia de Nossa Senhora dos Mártires, em Lisboa, Portugal. O povo português tem uma grande devoção por ela.

O culto a Nossa Senhora dos Mártires surgiu no século XII, em Portugal. Sua festa é celebrada no dia 13 de maio.

Naquela época, Lisboa estava dominada pelos mouros, que seguiam a religião muçulmana. Dom Afonso Henriques, primeiro rei português, aspirava à libertação da cidade da hegemonia dos invasores.

Composta de alemães, franceses e ingleses, uma armada de cruzados, vinda dos portos do norte, desembarcou em Portugal. Seu objetivo era chegar à Terra Santa para resgatá-la do domínio dos muçulmanos. Dom Afonso fez uma aliança com os cruzados para libertar Lisboa.

Os cruzados e os soldados portugueses venceram a batalha contra os dominadores em 25 de outubro de 1147, recuperando a cidade de Lisboa. Os mortos foram sepultados como mártires da fé.

Como tinha feito uma promessa à Virgem Maria, para agradecer seu auxílio na vitória dos católicos, o rei português mandou construir um santuário em sua honra, em Lisboa. Em homenagem aos mortos na batalha, a imagem, venerada no santuário, recebeu o título de Nossa Senhora dos Mártires.

O Papa Urbano VI (1378-1379) elevou o santuário à categoria de basílica, com o nome de Basílica de Santa Maria junto aos Mártires.

Nossa Senhora Medianeira

Nossa Senhora Medianeira, também chamada Medianeira de Todas as Graças, é uma invocação de origem antiquíssima na Igreja, mas, no século XX, é referida numa aparição mariana.

Em 1946, a Mãe de Deus apareceu a Bárbara Ruess, em Pfaffenhafen, Marienfried, Alemanha. Ela se apresentou como Medianeira de Todas as Graças, pedindo que as pessoas confiassem em sua intercessão e rezassem.

O bispo de Regensburg reconheceu a mensagem positiva e autêntica da aparição mariana. O número de peregrinos tem aumentado bastante no local. Para atender as multidões de devotos que lá chegam, em 1972 foi construído um Santuário, inaugurado e bento pelo bispo auxiliar de Augusta, D. Schmidt.

O título mariano mostra a Virgem Maria como medianeira entre Jesus Cristo e os devotos. Ela coopera no pedido e na distribuição das graças. Essa invocação manifesta a confiança do devoto em sua proteção.

A mediação de Maria é sempre secundária e dependente de Jesus Cristo. Ele é mediador principal e necessário. Só Ele é o mediador entre o Pai e a humanidade (cf. 1Tm 2,5-6). Ele é a fonte única de salvação. Como Mãe, a Virgem Santíssima, que está viva e gloriosa na comunhão dos santos, intercede junto a seu Filho por todos os seus filhos, que caminham na história atual rumo ao Santuário Eterno da Trindade.

Nossa Senhora de Medjugorje

Nossa Senhora de Medjugorje constitui uma invocação do século XX, surgida de uma aparição mariana.

A Virgem Maria aparece desde 24 de junho de 1981 para seis jovens, quatro meninas e dois rapazes, em Medjugorje, Bósnia Herzegovina, antiga Iugoslávia. Desde a década de 80 a Mãe de Deus já apareceu diversas vezes para eles. Por duas vezes, houve aparições para outras pessoas: peregrinos, paroquianos e um padre que estavam no santuário.

Em suas aparições, a Mãe de Deus se revela como uma jovem belíssima, com 20 anos de idade. Apresenta-se sobre uma nuvem, acima do chão, usando um vestido de cor cinza-argento. Rodeada com um círculo de 12 estrelas, sua cabeça é coberta por um véu branco, que cai até os pés. Seus cabelos são pretos. Seu rosto é róseo, com boca pequena e olhos azuis.

Uma grande luz vem antes da aparição da Virgem Maria, perdurando um instante depois de desaparecer. Sua voz é doce e harmoniosa. Os videntes escutam a comunicação em croato, sua língua.

As mensagens de Nossa Senhora de Medjugorje têm surtido bons frutos, ajudando na renovação cristã dos devotos. Ela aparece com o título de Rainha da Paz, convidando os homens para a paz e o amor, a conversão a Deus, a prática da oração, o jejum, a meditação da Sagrada Escritura e a participação nos sacramentos, especialmente na Eucaristia e na Reconciliação.

Nossa Senhora das Mercês

Nossa Senhora das Mercês é um título que se originou na Espanha, no século XIII.

Na época mouros muçulmanos tinham invadido a Península Ibérica e haviam aprisionado e escravizado muitos espanhóis.

Na noite de 1º de agosto de 1218, Nossa Senhora apareceu em sonho para três pessoas diferentes, convidando-os a fundar uma ordem religiosa para resgatar e proteger os cativos, maltratados pelos invasores. O militar Pedro Nolasco, o teólogo Raimundo de Penhaforte e o rei Jaime I de Aragão foram os videntes.

Os três homens generosos fundaram a Ordem Real e Militar de Nossa Senhora das Mercês da Redenção dos Cativos. Os religiosos, conhecidos como mercedários, passaram a prestar os votos de pobreza, castidade, obediência e, se necessário, tornavam-se escravos para salvar os cativos.

Cheio de admiração e reconhecimento pelos serviços prestados pela Ordem, o Papa a aprovou e instituiu a festa de Nossa Senhora das Mercês, celebrada em 24 de setembro.

Depois da aprovação, a Ordem espalhou-se por toda a Europa e, posteriormente, para as Américas. Chegou ao Brasil em 1639, propagando a devoção a Nossa Senhora das Mercês.

Nossa Senhora dos Milagres

A devoção a Nossa Senhora dos Milagres é característica de países católicos, como Portugal, Itália, França, Espanha e Brasil. Seus devotos a invocam com esse título em virtude dos milagres e graças que obtêm pela intercessão de Nossa Senhora junto a Deus.

Geralmente, Nossa Senhora dos Milagres retrata a Virgem Maria de pé, com um véu curto e um manto ornamentado que se estende até os pés. Traz uma coroa real em sua cabeça.

Há diversas imagens de Nossa Senhora dos Milagres, com suas representações típicas. A mais antiga provém do século VI, na França.

Em Mauriac, na França, Santa Teodechilde, filha do rei Clóvis, ordenou edificar uma capela, onde colocou uma imagem da Mãe de Deus, presenteada por seu pai. Um círio pascal ficava aceso constantemente diante da imagem. Os fiéis passam a denominá-la Nossa Senhora dos Milagres por causa dos prodígios obtidos.

No século XVI, na vila de Miranda do Corvo, em Portugal, uma viúva camponesa ergueu uma pequena ermida sobre o túmulo da filha, depositando sobre seu altar uma imagem da Virgem Maria. Os devotos vinham venerá-la atraídos pela sua fama de milagres.

Sua devoção foi trazida para o Brasil por devotos portugueses, espalhando-se principalmente em lugares como o Nordeste e Minas Gerais, onde a migração lusitana foi mais forte. Há várias paróquias dedicadas a Nossa Senhora dos Milagres. É também venerada no sul, para onde foi levada da Argentina pelos jesuítas.

Nossa Senhora da Misericórdia

A devoção a Nossa Senhora da Misericórdia é antiga. Em Nantes, França, já existia uma capela dedicada à Mãe de Deus no século VIII. Os moradores a denominaram com esse título porque invocaram sua bondade para livrá-los de um dragão que os atormentava. Seu santuário foi construído em 1026.

No século XV, Frei Miguel de Contreiras venerava Nossa Senhora da Misericórdia, dedicando-se a socorrer os necessitados. Como era confessor da rainha Dona Leonor, usou de sua influência para fundar a Irmandade de Nossa Senhora da Misericórdia em Lisboa, para cuidar dos pobres, doentes e condenados.

A Irmandade foi instituída em 1498 na capela de Nossa Senhora da Piedade. Em 1543, mudou-se para a bela igreja, concluído por D. João III, rei de Portugal de 1521 a 1557.

Em várias colônias de Portugal, foram criadas irmandades de Nossa Senhora da Misericórdia, como no Brasil. Católico convicto, o português Brás Cubas (1507-1592) fundou a primeira Santa Casa de Misericórdia em Santos, tendo ao lado a capela de Nossa Senhora da Misericórdia.

Governador de 1549 a 1553, Tomé de Souza (1502-1579) fundou a Irmandade da Misericórdia, construindo seu hospital em Salvador, Bahia.

Nossa Senhora da Misericórdia retrata Maria de pé, com os braços abertos, abrigando sob as dobras de seu manto um papa, vários bispos, um frade, um rei, uma rainha, dois fidalgos e doentes pobres.

Nossa Senhora de Montserrat

Nossa Senhora de Montserrat constituiu um título cuja origem é antiga na história da Igreja.

O primeiro santuário com o nome de Montserrat foi edificado na Espanha, perto de Barcelona. Montserrat é o nome que deriva da montanha onde o santuário está localizado, cuja forma é semelhante a um serrote com dentes pontiagudos.

De acordo com a tradição, a imagem de Nossa Senhora de Montserrat foi levada para a região nos primeiros tempos do cristianismo. Essa invocação já era venerada pelo povo no século VI.

No período da invasão dos mouros muçulmanos, os cristãos esconderam a imagem na escarpada serra, em uma de suas grutas, para livrá-la do risco de profanação.

Em 880, a imagem foi encontrada pelo bispo da vizinha cidade de Manresa, seus presbíteros, o prefeito de Barcelona e os cristãos que os acompanhavam. Eles a localizaram porque os pastores disseram ter ouvido vozes angelicais e visto grande luminosidade na montanha.

Já enegrecida pelo tempo, a Virgem Maria tinha nos braços o menino Jesus. Organizaram uma procissão para levar a imagem para a cidade de Manresa, a fim de entronizá-la na igreja principal. Quando fizeram uma parada, a imagem adquiriu um peso tão grande que se tornou impossível removê-la. Essa circunstância levou o bispo a ordenar que fosse construída no alto da montanha uma capela dedicada a Nossa Senhora de Montserrat.

Nossa Senhora da Natividade

O culto a Nossa Senhora da Natividade é antigo na Igreja, remontando aos inícios do cristianismo. Começou no Oriente e, posteriormente, passou para o Ocidente.

Esse culto está vinculado à festa litúrgica da Natividade de Nossa Senhora, celebrada no dia 8 de setembro. Comemora-se o nascimento da Virgem Maria, a Mãe de Jesus Cristo, o Salvador.

A festa originou-se da dedicação da Basílica de Santa Ana, que foi construída no século V, na Palestina. De acordo com a tradição oriental, o local da Basílica, perto do templo de Jerusalém, foi a sede da casa de Joaquim e Ana, pais de Nossa Senhora.

A festa foi introduzida em Roma pelo Papa Sérgio I (687-701), no século VII.

A Bíblia não faz referência ao nascimento da Mãe de Jesus, mas sim os livros apócrifos: Protoevangelho de Tiago, Evangelho do Pseudo-Mateus e o Evangelho da Natividade de Nossa Senhora.

Longínquos descendentes do rei Davi, Joaquim e Ana, judeus piedosos que viviam em Jerusalém, já eram idosos quando foram pais de Maria. Inclusive a mãe era estéril. Com fé, eles rezaram e Deus concedeu-lhes a concepção e o nascimento da criança, por graça especial.

Nossa Senhora da Natividade é representada, por diversas formas, em pinturas e esculturas, sobretudo na Itália, a partir do final da Idade Média, com o Renascimento. No Brasil há 16 igrejas com esse título.

Nossa Senhora dos Navegantes

A devoção a Nossa Senhora dos Navegantes remonta, na história da Igreja, ao período da Idade Média.

A devoção surgiu da piedade dos navegantes. Na época das cruzadas, os cristãos atravessavam o Mar Mediterrâneo rumo à Palestina, para defenderem os lugares santos. Eles sabiam dos perigos marítimos que iriam passar em virtude de suas frágeis embarcações. Por isso recorriam à proteção da Virgem Maria.

No tempo das grandes navegações, a devoção mariana cresceu bastante, principalmente entre os navegantes portugueses e espanhóis, que viajavam pelos oceanos desconhecidos com seus barcos. Antes da viagem, eles participavam da celebração da Eucaristia e suplicavam o patrocínio da Mãe de Deus.

A invocação de Nossa Senhora dos Navegantes é bastante comum entre os pescadores, homens modestos que todos os dias enfrentam os riscos de seu trabalho para sustentar suas famílias. Por isso, no Brasil a devoção se concentrou principalmente nas localidades costeiras, como Cananeia e Porto Alegre.

No Brasil há 23 igrejas dedicadas a Nossa Senhora dos Navegantes. Sua festa é celebrada com animadas procissões marítimas, precedidas da embarcação que conduz sua imagem. Ela é representada de pé, dentro de uma barca, com o menino Jesus nos braços.

Nossa Senhora de Nazaré

A devoção a Nossa Senhora de Nazaré é bem antiga. Possivelmente, data dos primeiros tempos do cristianismo, quando a Mãe de Jesus era venerada em Nazaré, onde viveu a Família Sagrada (cf. Lc 1,26-27; 2,39.51-52). De acordo com a tradição, a imagem teria sido esculpida por São José.

Entretanto, a devoção propagou-se principalmente em Portugal, a partir do século XI. Conta-se que, no ano 1150, D. Afonso Henriques, primeiro rei de Portugal, tinha um cavaleiro corajoso chamado D. Fuas de Roupinho, que gostava muito de caçar.

Quando caçava uma corça numa região de altos penhascos que se debruçavam sobre o Oceano Atlântico, o jovem cavaleiro quase se precipitou ao mar, mas o salvou a invocação da Virgem Maria que ele fizera.

Recomposto do susto, o nobre fidalgo dirigiu-se ao oratório, que ficava próximo dali, para agradecer à Mãe de Deus ter salvado sua vida. Apanhou a imagem dela nas mãos e de joelho rezou, quando encontrou junto dela um pergaminho que contava a história da imagem de Nossa Senhora, venerada em Nazaré pelos primeiros cristãos.

D. Fuas mandou construir, no local, um santuário dedicado a Nossa Senhora de Nazaré. Posteriormente, D. Fernando, filho de D. João II, ordenou edificar ali uma formosa igreja. Próximo ao templo, junto à praia, surgiu a cidade de Nazaré.

Nossa Senhora das Neves

A devoção a Nossa Senhora das Neves surgiu no século IV, na Itália.

Em Roma, vivia um nobre chamado João, que não possuía filhos. Por isso, ele e a esposa resolveram empregar sua fortuna na obra de Deus, mas não sabiam como fazer.

Na noite de 4 de agosto de 352, a Virgem Maria apareceu ao casal em sonho, manifestando-lhes o desejo de que fosse erigida uma igreja em sua honra no monte Esquilino, que estaria coberto de neve. Embora fosse pleno verão, no dia seguinte o monte se apresentava todo coberto de neve, confirmando assim a visão deles.

Percebendo a veracidade do ocorrido, o Papa Libério (352-366), com a ajuda generosa de casais piedosos, construiu a igreja no monte Esquilino. Foi chamada de igreja de Nossa Senhora das Neves por causa da miraculosa caída de neve.

Em memória do Papa Libério, que a consagrou em 353, a igreja é também intitulada basílica liberiana. Outro nome recebido é de Santa Maria do Presépio, por causa do presépio de Jesus Cristo como Salvador que ali se venera.

Cerca de 100 anos depois e após o Concílio de Éfeso, que proclamou o dogma da Mãe de Deus, em 431, o Papa Sixto III (432-440) reformou a igreja, denominando-a Basílica de Santa Maria Maior, por ser a mais importante entre todos os templos marianos de Roma.

A devoção de Nossa Senhora das Neves chegou ao Brasil ainda no período colonial.

Nossa Senhora do Ó

Nossa Senhora do Ó, também chamada da Expectação, é um título litúrgico, antigo na Igreja, que se origina das Antífonas de Ó.

As Antífonas de Ó são as sete antífonas do Magnificat, cantadas de 17 a 23 de dezembro, e todas se iniciam com essa exclamação. Nelas a Igreja, com os patriarcas do Antigo Testamento, exprime a esperança da vinda do Salvador, que irá nascer. Delas procedeu o culto de Nossa Senhora do Ó.

A imagem de Nossa Senhora do Ó retrata a Virgem Maria grávida, com um manto pregueado cobrindo sua túnica. Seus cabelos compridos estendem-se sobre os seus ombros.

Em algumas imagens, seus braços estão cruzados sobre a cintura. Em outras, as mãos estão colocadas sobre o peito, em postura de oração.

Santo Ildefonso (607-667), arcebispo de Toledo, na Espanha, ordenou, pela primeira vez na história da liturgia, a festa da Expectação do Parto da Virgem Maria, para recordar o júbilo com que ela esperava o nascimento do Salvador.

A devoção a Nossa Senhora do Ó propagou-se bastante em Portugal. Há o célebre santuário dela em Torres Novas, na Extremadura. É muito venerada a sua imagem na catedral de Évora.

Seu culto no Brasil vem desde a primeira evangelização, no tempo colonial. Na cidade de São Paulo, a primitiva capela de Nossa Senhora do Ó foi fundada em 1618. Hoje é matriz paroquial.

Nossa Senhora do Pantanal

Nossa Senhora do Pantanal constitui um título mariano típico no Brasil. É uma piedade característica da região centro-oeste.

A devoção a Nossa Senhora do Pantanal nasceu no Mato Grosso do Sul, na diocese de Corumbá. É uma imagem muito bonita, feita de acordo com a cultura e as riquezas da região.

A devoção a Nossa Senhora do Pantanal é lícita, já autorizada pelo bispo local. D. Milton Santos, que era o bispo diocesano de Corumbá, MS, emitiu, em 16 de setembro de 2001, uma declaração na qual proclama Nossa Senhora como Padroeira do Pantanal, autorizando sua veneração por meio de sua imagem.

A imagem de Nossa Senhora do Pantanal foi criada por um artista local, com elementos inspirados na fauna e flora da região. Em sua declaração, D. Milton descreveu que o padrão da imagem "lembra os traços de Nossa Senhora Aparecida. A Virgem Morena está de pé, feições finas, mãos postas sobre o peito, toda envolta em manto bordado com folhas e flores de camalotes nas cores verde e lilás. Traz sobre a cabeça uma linda coroa das pequenas folhas e flores de camalotes. Os três botões de flores que sobressaem às folhas do camalote sobre a cabeça simbolizam o íntimo relacionamento da Virgem Maria com as Pessoas da Santíssima Trindade: Filha Predileta do Pai, Mãe de Jesus e Sacrário do Espírito Santo".

Nossa Senhora do Paraíso

Nossa Senhora do Paraíso representa Maria de pé, com a coroa na cabeça. Seu semblante é alegre e majestoso. Está com a mão esquerda no peito. Segura um pequeno bastão na mão direita.

A devoção a Nossa Senhora do Paraíso nasceu em Portugal, no século XVI.

Em 1570, a imagem de Nossa Senhora do Paraíso foi descoberta em Vale do Paraíso. Certo habitante da vila de Aveiro a encontrou no tronco de um sobreiro. Era uma estátua bem pequena. Ele ficou muito feliz, mas não quis tocá-la, por temor.

O felizardo comunicou o achado ao pároco local. O sacerdote buscou a estátua mariana e a introduziu na igreja da vila. Todavia, quando os fiéis foram ver a imagem, ela tinha desaparecido. Preocupados, procuraram-na e a encontram no tronco da mesma árvore. Foi levada de novo para a igreja, mas ela retornou para o seu lugar.

O padre e os fiéis chegaram à conclusão de que era preciso construir uma igreja própria para colocar a estátua. Mas os moradores do lugarejo eram pobres e não tinham recursos para edificar uma digna igreja mariana.

A igreja foi construída posteriormente. Na época da grande peste que assolava a região, Ana de Alencastro, uma mulher rica e proprietária de terras naquele lugar, suplicou o auxílio de Nossa Senhora do Paraíso, conseguindo livrar-se do contágio da doença. Em retribuição, ela fez uma grande doação ao sacerdote para erguer a igreja.

Nossa Senhora do Parto

Nossa Senhora do Parto representa Maria de pé, segurando com as duas mãos o menino Jesus, que se encontra deitado sobre elas. Com um véu na cabeça, usa uma túnica e uma capa que se estende dos ombros aos pés.

A devoção a Nossa Senhora do Parto está enraizada nas diversas culturas dos povos cristãos. As mulheres grávidas tiveram uma devoção especial, recorrendo a ela para que obtivessem um bom parto.

No Brasil a devoção a Nossa Senhora do Parto vem desde o período colonial. Logo depois da fundação do Rio de Janeiro foi edificada uma capela dedicada a ela. Sua imagem apresenta características especiais. Retrata Maria ainda grávida, de pé, vestida de camisola branca e um manto azul com desenhos dourados. Suas mãos estão postas sobre o peito.

Após alguns anos, a capela desmoronou, mas foi construída uma nova em meados do século XVII, noutro lugar da cidade. No começo do século XVIII, os clérigos de São Pedro fixaram-se naquele lugar, reedificando seu santuário. Posteriormente, Dom Antônio do Desterro reformou a igreja. Em 1789 um incêndio consumiu parte do templo, mas a imagem foi salva por uma devota.

Em 1790 a igreja foi reconstruída pelo arquiteto Valentim da Fonseca, por ordem do vice-rei Dom Luís de Vasconcelos. Na década de 1950, seu prédio foi destruído. Sua imagem foi para outra capela dedicada a Nossa Senhora do Parto.

Hoje, há 11 cidades brasileiras com paróquias dedicadas a Nossa Senhora do Parto.

Nossa Senhora da Paz

O culto a Nossa Senhora da Paz apareceu no século XI em Toledo, na Espanha.

Toledo, antiga colônia romana evangelizada no início da era cristã e um dos maiores centros religiosos da Península ibérica, possuía uma famosa catedral dedicada à Virgem Maria, muito venerada pelo povo. De acordo com a tradição, a Mãe de Jesus havia aparecido ali várias vezes ao arcebispo Santo Ildefonso.

Quando Toledo foi conquistada pelos mouros muçulmanos, sua catedral foi transformada em mesquita. Em 1085, o rei da Espanha, Afonso VI, recuperou a cidade em renhida batalha comandada pelo célebre herói El Cid Campeador. O monarca fez um acordo com os mouros garantindo-lhes a permanência da antiga catedral como mesquita.

Apoiados pela rainha Dona Constança e pelo Arcebispo Dom Bernardo, os cristãos conseguiram convencer o rei a retomar a catedral, selando a paz com os mouros. Depois da reconciliação, houve uma procissão que entrou triunfante na cidade e, dirigindo-se à catedral, rendeu ação de graças à Virgem Maria por haver trazido, por sua intercessão, a paz a Toledo. Para comemorar esse fato histórico, foi instituída a festa de Nossa Senhora da Paz, celebrada em 9 de julho.

Em 5 de maio de 1917, o Papa Bento XV (1914-1922) introduziu na Ladainha Lauretana a invocação "Rainha da Paz".

Nossa Senhora da Pena

Nossa Senhora da Pena retrata Maria com o menino Jesus ao colo, segurando-o com o braço esquerdo. Sua mão esquerda ostenta uma pena, simbolizando os literatos.

Possivelmente, seu culto nasceu em Portugal. Certa ocasião houve a aparição da Virgem Maria nos cumes mais elevados da serra de Sintra, sendo denominada Nossa Senhora da Pena. No local foi erguida uma ermida para colocar a imagem.

Nos inícios do século XVI, foi construído o Convento de Nossa Senhora da Pena, com a capela, por ordem do rei de Portugal, Dom Manuel I, no lugar da aparição. Muitos devotos ilustres e reis costumavam fazer suas visitas e orações diante da imagem.

No Brasil seu culto vem desde os tempos coloniais. A mais antiga igreja dedicada a Nossa Senhora da Pena foi fundada em Porto Seguro, Bahia, por volta de 1535. Incipientemente, foi feita de taipa, mas, posteriormente, foi reedificada em pedra e cal.

Outra igreja histórica é de Jacarepaguá, localizada no alto do escarpado penhasco do Rio de Janeiro. Conta-se que naquele lugar a Mãe de Deus teria aparecido, por volta de 1624, a um vaqueiro escravo, após lhe pedir para encontrar um animal desaparecido, que havia se apartado de seu rebanho. Inicialmente, foi edificada uma ermida. Posteriormente, foi reconstruída e ampliada pelo Pe. Manuel de Araújo, que trouxe de Portugal uma belíssima imagem de Nossa Senhora da Pena.

Nossa Senhora da Pena é patrona dos literatos e poetas.

Nossa Senhora da Penha

Nossa Senhora da Penha é um título que surgiu na Espanha. A devoção apareceu no século XV, quando o frade Simão Vela, por inspiração divina, encontrou nos montes rochosos em Penha de França, na Espanha, em 1434, a imagem da Virgem Maria, que ele teria visto em sonho.

Nascido em Paris, França, no final do século XIV, Simão era filho de Roland e Bárbara, pais ricos e piedosos. Resolveu tornar-se religioso, entrando para o Convento dos Frades Franciscanos, em Paris. Certa noite, sonhou com uma imagem de Nossa Senhora que lhe apareceu no cume de um monte alto e escarpado, cercado de luz, e acenava para que ele fosse procurá-la.

Após cinco anos de procura, o Frade Simão encontrou a imagem no meio das pedras, no alto do monte chamado Penha da França. Nesse local ele construiu uma tosca ermida. Mais tarde foi transformada em um dos grandes santuários marianos.

A devoção a Nossa Senhora da Penha foi levada para Portugal, tornando-se bastante expressiva. Os missionários religiosos trouxeram o culto mariano para o Brasil. Entre os brasileiros a devoção é bem difundida, sendo famosos os templos a ela dedicados nas cidades de São Paulo e Rio de Janeiro. Em Vila Velha, Espírito Santo, há o célebre Santuário de Nossa Senhora da Penha. Ela é Padroeira do Espírito Santo.

Nossa Senhora do Perpétuo Socorro

Entre os muitos títulos marianos, nós, brasileiros, conhecemos um especial: Nossa Senhora do Perpétuo Socorro. É uma das invocações mais difundidas no mundo atual.

Com a chegada dos redentoristas em 1893, no Brasil, o culto a Nossa Senhora do Perpétuo Socorro expandiu-se rapidamente por todas as regiões brasileiras. O carro-chefe dessa propagação foram as novenas perpétuas. A difusão de cópias também contribui bastante.

O quadro de Nossa Senhora do Perpétuo Socorro é um ícone antigo que representa a Virgem da Paixão com o Menino Jesus nos braços. É uma pintura bizantina em madeira, com 54 cm de altura por 41,5 cm de largura. Procura destacar o significado da paixão de Jesus e da intercessão da Mãe de Deus em favor da humanidade.

Atualmente, o quadro original encontra-se na Igreja de Santo Afonso, em Roma. Esse quadro foi confiado aos redentoristas em 1866, para que difundissem sua devoção e espiritualidade. A festa é celebrada no dia 27 de junho.

Nossa Senhora da Piedade

Nossa Senhora da Piedade retrata o momento em que Maria recebeu em seus braços seu filho morto, Jesus Cristo, após sua descida da cruz, no Calvário. É também denominada como a Virgem Dolorosa.

A representação de Nossa Senhora da Piedade é muito difundida em todo o mundo. Há várias obras dela retratadas na arte cristã. A mais famosa é a Pietá de Michelangelo.

A devoção a Nossa Senhora da Piedade data do século X, em Portugal. A mais antiga representação que se conhece foi pintada em madeira, encontrando-se em uma das capelas do claustro da Catedral de Lisboa. De acordo com a tradição, ela pertencia a uma irmandade existente no século X, que se dedicava a enterrar os mortos, acompanhar os condenados até a execução da pena e visitar os prisioneiros.

A devoção teve plena propagação não só em Portugal, mas também em outros países. No Brasil faz parte da piedade do povo. Foi acolhida principalmente no Estado de Minas Gerais, em Barbacena; no Estado de São Paulo, em que é padroeira da cidade de Lorena; e no Estado do Rio de Janeiro.

Há 73 igrejas no Brasil dedicadas a Nossa Senhora da Piedade. Há o célebre Santuário localizado na Serra da Piedade, próximo de Caeté, MG. Em 1958, o Papa João XXIII (1858-1963) a proclamou como protetora geral dos mineiros. Em 31 de julho de 1960, ela foi declarada, oficialmente, padroeira do Estado de Minas Gerais.

Nossa Senhora do Pilar

Nossa Senhora do Pilar é o mais antigo título atribuído a Maria, surgindo ainda no século I.

A devoção provém da cidade de Zaragoza, na Espanha, onde há a bela Basílica de Nossa Senhora do Pilar. De acordo com a tradição, a introdução do culto na Espanha deve-se a São Tiago Maior, apóstolo, filho de Zebedeu e de Salomé e irmão mais velho de João Evangelista, quando Maria ainda vivia.

São Tiago ficou encarregado de evangelizar a região da Espanha. Antes de partir, ele foi abençoado pela Mãe de Jesus, que o incumbiu de erguer lá uma igreja em sua honra.

Depois de evangelizar vários lugares da Espanha, o apóstolo dirigiu-se para Zaragoza, à beira do rio Ebro. À noite, enquanto descansava com cristãos convertidos, ele viu Maria sentada sobre um pilar de mármore, rodeada de anjos. Ela lhe pediu que construísse ali mesmo uma igreja em sua memória, conservando em seu interior aquele pilar.

Auxiliado pelos cristãos, São Tiago edificou a igreja, colocando na parte superior do altar o pilar de mármore. Nossa Senhora do Pilar é a padroeira da Espanha.

A devoção foi difundida no Brasil, ainda no período colonial, no final do século XVII. Nossa Senhora do Pilar é venerada no Nordeste, nos Estados da Bahia, Sergipe e Pernambuco. Em Minas Gerais, é cultuada em Ouro Preto e São João Del Rei, de cuja catedral é a titular. Sua festa é celebrada em 12 de outubro.

Nossa Senhora dos Pobres

Nossa Senhora dos Pobres representa Maria de pé, com os olhos voltados para baixo. Suas mãos estão unidas. Ela traz no braço direito um terço, com a cruz na ponta. Está vestida de branco, usando um cinto azul e um véu que se estende até os pés. Tem sobre o seu pé direito, não coberto pela túnica, uma rosa de ouro.

A devoção a Nossa Senhora dos Pobres surgiu no século XX, na Bélgica. Em Banneux, vila de Ardenne, Maastrich, aos 15 de janeiro de 1933, às 19 horas, Mariette Beco, de 12 anos, viu uma bela senhora luminosa sorrindo para ela, no jardim de sua singela residência. Ela já acreditou que fosse a Virgem Maria, mas seu pai, Julien Beco, um socialista agnóstico, não deu crédito.

Três dias depois, no mesmo horário, a Mãe de Deus apareceu novamente, dialogando com a vidente. No dia 19, ela se apresentou como a Virgem dos Pobres. No dia seguinte, esclareceu que desejava uma capela. Voltou a reaparecer em 11 de fevereiro.

Na sexta aparição, Pe. Louis Jamin solicitou, através da vidente, um sinal: a conversão do pai da Mariette. Pouco depois, seu pai se confessou e comungou. Em 2 de março de 1934, a Virgem apareceu pela última vez, pedindo bastante oração.

A Igreja reconheceu oficialmente o culto de Nossa Senhora dos Pobres em 1942. Foi construída uma pequena capela em sua honra. Sua devoção se espalhou bastante.

No Brasil, a primeira paróquia de Nossa Senhora dos Pobres foi erigida no Butantã, em São Paulo, em 1950.

Nossa Senhora de Pompeia

Nossa Senhora de Pompeia, também chamada Nossa Senhora do Rosário de Pompeia, representa a Virgem Santíssima sentada, com o menino Jesus sentado em seu colo. Ladeando os dois, Santa Catarina de Sena e São Domingos de Gusmão, que estão ajoelhados, recebem, respectivamente, de Maria e de seu filho o rosário.

A devoção a Nossa Senhora de Pompeia nasceu no século XIX, na Itália, por iniciativa de Bartolo Longo.

Advogado italiano, Bartolo estudou no ginásio dos padres escolápios, recebendo boa educação cristã. No curso de Direito tornou-se incrédulo. Todavia, ajudado por um professor e um sacerdote, reconverteu-se ao catolicismo, passando a rezar o rosário com fervor.

Em outubro de 1872, estando no Vale de Pompeia, perto de Nápoles, Bartolo ouviu a voz suave da Virgem Maria pedindo-lhe que difundisse o rosário. Cumprindo o apelo mariano, tornou-se apóstolo ardoroso do rosário e construiu uma capela naquele lugar.

Bartolo conseguiu a imagem mariana, doada por uma freira, e a colocou, em 1876, na capela de Pompeia, favorecendo o aumento do número de devotos. Foi erguido o santuário maior, recebendo a consagração solene em 1891. Foi elevado à basílica em 1901.

Sua devoção foi trazida para o Brasil por colonos italianos. Eles construíram no subúrbio da cidade de São Paulo, hoje Pompeia, uma capela em honra de Nossa Senhora de Pompeia. Depois ela foi demolida e ergueu-se um majestoso santuário.

Nossa Senhora do Povo

Nossa Senhora do Povo apresenta Maria de meio corpo, segurando o menino Jesus ao colo. Está virada um pouco para a esquerda. Um véu cobre sua cabeça.

Nossa Senhora do Povo é um invocação que surgiu na Itália, na Idade Média. Sua primeira pintura retrata a Mãe de Deus em estilo renascentista.

Quando Nero, que foi imperador romano entre 54 e 68 d.C., faleceu, sua escrava Acté colocou suas cinzas no mausoléu de sua família, os Domícios. No começo da Idade Média, havia a crença de que seu espírito atormentava os vizinhos do cemitério. Com medo, o povo destruiu o túmulo do imperador. Em seu lugar construiu uma igreja dedicada à Virgem Santíssima, entronizando nela uma imagem da Mãe de Deus. Passou a ser invocada como Nossa Senhora do Povo, pois os devotos tinham erguido sua igreja.

Paulatinamente, sua devoção espalhou-se por toda a Itália, sendo sua imagem muito cultuada na igreja dos Servos de Maria, em Siena. Localizado na província de Lucânia, ao sul da Itália, o santuário de Nossa Senhora do Povo é um centro de peregrinação, para o qual acorrem milhares de devotos todo o ano.

Seu culto foi para Portugal em 1587. Em Braga sua imagem é muito venerada. No Brasil chegou em 1570, trazido pelos jesuítas que foram martirizados pelos piratas, junto com o novo governador português, D. Luiz Fernandes Vasconcelos. A cópia da imagem de Nossa Senhora do Povo que eles traziam sobreviveu ilesa.

Nossa Senhora dos Prazeres

O culto a Nossa Senhora dos Prazeres remonta ao século XVI, vinculando-se à devoção das sete alegrias da Mãe de Jesus, de origem franciscana.

Em 1599, uma imagem mariana apareceu sobre uma fonte, na quinta dos Condes da Ilha, em Alcântara, Lisboa, Portugal. Ao beber a água daquela fonte, diversas pessoas obtiveram curas milagrosas. O fato espalhou-se por toda a região.

De acordo com a tradição, os proprietários da fonte levaram a imagem para um oratório, dentro de sua casa, mas logo depois ela desapareceu e foi encontrada sobre a fonte. Quando uma menina se aproximou da imagem, a Virgem Maria lhe apareceu, pedindo-lhe que edificasse ali uma igreja em sua honra.

Atendendo a comunicação da menina, seus conterrâneos providenciaram a construção da igreja. Eles passaram a venerá-la como Nossa Senhora dos Prazeres.

A imagem, que foi encontrada na fonte, é muito bonita, esculpida em pedra de alabastro e pintada a cores com bordaduras de ouro.

Nossa Senhora dos Prazeres retrata Maria de pé, com o menino Jesus sentado em seu braço esquerdo. Está vestida com uma túnica de mangas largas e um manto longo, envolvendo todo o seu corpo. Sua cabeça está coberta com um véu curto. Sob seus pés aparecem sete anjos, referindo-se às sete alegrias de sua vida.

No Brasil há 12 igrejas dedicadas a Nossa Senhora dos Prazeres. Ela é titular da catedral de Lages, Santa Catarina.

Nossa Senhora Rainha

A Igreja comemora, em 22 de agosto, a memória de Nossa Senhora Rainha. É celebrada poucos dias após a solenidade da Assunção de Maria.

A memória de Nossa Senhora Rainha foi instituída pelo Papa Pio XII em 1955. O Pontífice atendeu aos pedidos que foram formulados em vários congressos marianos.

Aos 11 de outubro de 1954, Pio XII publicou a Encíclica "Ad Coeli Reginam" ("Para a Rainha do Céu"), na qual ele expunha as razões que justificam a realeza de Maria. O primeiro motivo que ele evocava é a maternidade de Maria: ela é rainha porque é Mãe de Jesus Cristo, o Rei do Universo. A outra razão é a sua participação na missão salvadora de Jesus. Ela é também rainha porque está associada à obra salvadora do Filho de Deus.

Assunta e glorificada, a Virgem Santíssima participa da realeza de Jesus, colaborando para a salvação dos homens e intercedendo por eles. Já declarava o Concílio Vaticano II: "A Virgem Imaculada, que fora preservada de toda mancha da culpa original, terminando o curso de sua vida terrena, foi elevada à glória celeste em corpo e alma. Para que se parecesse mais com seu Filho, Senhor dos Senhores (cf. Ap 19,16) e vencedor do pecado e da morte, foi exaltada pelo Senhor como Rainha do Universo" (LG, n. 59).

Nossa Senhora dos Remédios

Nossa Senhora dos Remédios retrata a Virgem Maria de pé, tendo o menino Jesus sentado em seu braço esquerdo. Sua mão direita está estendida. Traja uma túnica, um manto, que envolve o seu corpo, e um véu curto, que cobre uma parte de seus cabelos.

A devoção a Nossa Senhora dos Remédios foi divulgada em Portugal e na Espanha, nos inícios do século XIII, por religiosos franceses da Ordem Hospitalar da Santíssima Trindade. Conhecidos como trinitários, foram fundados por São João da Mata e São Félix de Valois no final do século XII, tendo como objetivo a recuperação de prisioneiros. Sua padroeira era Nossa Senhora dos Remédios.

Muito popular em Portugal e Espanha, o culto de Nossa Senhora dos Remédios foi trazido para as Américas pelos colonizadores. Edificaram as primeiras igrejas a ela dedicadas, como no México, em 1575.

Os religiosos trinitários propagaram sua devoção no Brasil, erguendo várias igrejas em honra de Nossa Senhora dos Remédios no Nordeste e em Minas Gerais.

Em Paraty, RJ, a primeira igreja de Nossa Senhora dos Remédios foi edificada em 1646. A atual igreja teve sua construção iniciada em 1787. Foi entregue ao culto público em 1873.

A única igreja existente na ilha de Fernando de Noronha é dedicada a Nossa Senhora dos Remédios, construída em 1737.

Em São Paulo, SP, a igreja de Nossa Senhora dos Remédios foi feita no século XVIII, mas foi demolida.

Nossa Senhora do Rocio

A devoção de Nossa Senhora do Rocio surgiu no século XIII, no vilarejo de Rocio, na região de Andaluzia, Espanha.

Conforme a tradição, a imagem da Virgem Maria foi encontrada por um caçador no tronco de uma árvore. Ele a carregou consigo para casa, mas, durante o retorno, sentiu-se cansado, parou para descansar e acabou dormindo. Quando acordou, notou que a imagem havia desaparecido.

Voltando para o lugar onde tinha encontrado a imagem, o pescador a reencontrou no mesmo tronco da árvore. Então, ele resolveu deixá-la ali e retornou para o vilarejo, comunicando o ocorrido para as autoridades religiosas.

As autoridades religiosas organizaram uma procissão com os fiéis para o lugar onde estava a imagem. Verificando a veracidade do ocorrido, resolveram construir uma igreja em honra da Mãe de Deus. Por volta de 1270, a capela foi erguida, e lá foi colocada a imagem.

O culto a Nossa Senhora do Rocio iniciou no Brasil pelo ano de 1686, quando o pescador Pai Berê lançou sua rede ao mar e recolheu uma imagem da Mãe de Jesus. Ele morava no Rocio, bairro de Paranaguá, Paraná.

O pescador levou a imagem para sua casa, onde passou a rezar o terço em honra da Virgem Maria. Com o crescimento dos devotos, foi necessário erguer uma capela, que se transformou, posteriormente, num santuário. Ela tornou-se a padroeira do Estado de Paraná.

Nossa Senhora da Rosa Mística

Tradicionalmente, a Igreja sempre invocou Maria como Rosa Mística na Ladainha Lauretana. Todavia, a devoção de Nossa Senhora da Rosa Mística originou-se em meados do século XX.

A partir de 1946, a Virgem Maria apareceu para a enfermeira Pierina Gilli (1917-1991), em Montechieri e Fontanelle, na Lombardia, ao norte da Itália. A vidente era uma mulher simples, humilde e muito piedosa, dedicada à oração, ao sacrifício e à prática de penitência.

Na primeira vez, a enfermeira viu a Mãe de Deus vestida com uma túnica púrpura e um véu branco. Com a feição triste, trazia em seu peito três espadas encravadas. Chorando, ela recomendava oração, sacrifício e penitência.

Na segunda aparição, Maria trazia um rosário na mão direita. Em seu peito tinha três rosas: uma branca, uma vermelha e a outra dourada. Ela solicitou que o dia 13 de cada mês fosse consagrado como dia mariano. Pediu para ser chamada Rosa Mística. Escolheu o dia 13 de junho para que fosse dedicado a ela.

Nas outras aparições, a Mãe de Jesus continuou apelando para que se façam oração, sacrifício e penitência pela conversão dos pecadores. Houve muitas curas e conversões.

No dia 6 de abril de 1975, aconteceu a primeira procissão com a imagem de Nossa Senhora da Rosa Mística. Essa imagem foi confeccionada pela família Perathoner, perto de Bolzano. Mais de 50 mil cópias dela foram distribuídas.

Nossa Senhora do Rosário

Todo ano, no dia 7 de outubro, a Igreja celebra a memória de Nossa Senhora do Rosário. Essa memória remonta à vitória dos cristãos em Lepanto.

Lepanto era uma cidade e importante porto da Grécia, junto ao Golfo de Corinto, onde se travou a famosa batalha naval em que a esquadra cristã, comandada por João da Áustria, derrotou os turcos muçulmanos. A vitória foi obtida em 7 de outubro de 1571, impedindo assim a grande expansão do império turco.

O Papa Pio V convocou toda a Igreja para que recitasse o Rosário pela vitória dos cristãos. Para comemorar essa vitória, o Pontífice instituiu a festa inicialmente chamada de Santa Maria da Vitória. Em 1716, foi estendida a toda a Igreja. Posteriormente, foi denominada de festa de Nossa Senhora do Rosário.

Devoção popular entre os cristãos, o Rosário é muito valorizado pela Igreja. Já dizia Pio XII que essa prece "é a síntese de todo o Evangelho, meditação dos mistérios do Senhor, hino de louvor, oração da família, compêndio da vida cristã, maneira de obter os favores celestes".

Nossa Senhora da Salete

A devoção a Nossa da Salete originou-se na França, no século XIX.

Ao sul da França, na aldeia de Salete, a Virgem Maria apareceu a dois pastorinhos, Melânia Calvat, de 15 anos, e Maximino Giraud, de 11 anos. Essa aparição aconteceu aos 19 de setembro de 1846, enquanto tomavam conta do gado, na escarpada montanha de Salete.

A mensagem mariana foi profética, pedindo orações pela conversão dos pecadores. A Mãe de Deus disse: "O braço de meu Filho está muito pesado por causa do pecado dos homens".

Antes de desaparecer, Nossa Senhora pediu aos pastorinhos que transmitissem sua mensagem ao povo. Dois dias depois, em 21 de setembro, iniciaram as romarias ao local da aparição. Em 1852, o bispo de Grenoble, a cuja diocese pertencia o lugarejo de Salete, fundou uma Congregação de Missionários para difundir a mensagem mariana por todo o mundo.

O primeiro santuário em Salete ficou pronto em 1879. É um templo austero e modesto, que parece feito para a penitência.

O culto de Nossa Senhora da Salete no Brasil data dos albores do século XX. Embora existam templos a ela dedicados em Fortaleza, São Paulo e Rio de Janeiro, a maioria de suas igrejas se situa no sul do país.

Nossa Senhora do Santíssimo Sacramento

Nossa Senhora do Santíssimo Sacramento representa a Virgem Maria de pé, tendo no braço esquerdo o menino Jesus. Com a mão direita, ela segura um ostensório. Sua cabeça está coberta com um manto azul, que se estende até os pés. Veste uma túnica rosa.

Nossa Senhora do Santíssimo Sacramento é um título recente surgindo no século XIX. Foi dado à Mãe de Deus por São Pedro Julião Eymard, presbítero francês.

Pedro Julião nasceu em La Mure, na França, em 1811. Ordenado sacerdote, dedicou-se por alguns anos ao ministério paroquial. Posteriormente, ingressou na Congregação Marista. Depois saiu dos maristas. Faleceu em 1868.

Tendo profunda piedade eucarística, Pedro Julião fundou congregações religiosas, masculina e feminina, dedicadas ao culto eucarístico, para promover o amor do povo pela Eucaristia.

Grande devoto mariano, Pedro Julião, quando pregava o retiro à sua comunidade, em São Maurício, encerrou uma de suas reflexões, pedindo a todos que honrassem Maria sob o título de Nossa Senhora do Santíssimo Sacramento. Assim, ele formulou uma das mais belas e profundas invocações marianas.

Quando chegaram ao Brasil em 1926, os padres sacramentinos propagaram a espiritualidade eucarística e a devoção a Nossa Senhora do Santíssimo Sacramento. Em Minas Gerais, Sacramento a tem como padroeira, invocando-a como Nossa Senhora do Patrocínio do Santíssimo Sacramento.

Nossa Senhora da Saúde

Nossa Senhora da Saúde é uma das invocações mais sentidas, principalmente em períodos de grandes epidemias.

A devoção apareceu no México nos primeiros tempos das conquistas espanholas. Sob a orientação de D. Vasco de Guiroga, primeiro bispo de Michoacán, os índios de Patzcuaro esculpiram a imagem mariana em 1538.

A imagem de Nossa Senhora da Saúde foi coloca no altar do hospital que o bispo edificou em Patzcuaro. Em 8 de dezembro de 1717 foi consagrado seu santuário. Em 1890 o santuário foi remodelado. Em 8 de dezembro de 1899 a imagem foi coroada solenemente.

Em Portugal a devoção teve grande desenvolvimento na época da grande peste que assolava Lisboa em meados do século XVI. A epidemia começou em 1568, mas seu contágio tornou-se mais intenso no ano seguinte, chegando a vitimar 600 pessoas por dia.

Para debelar a peste, os portugueses promoveram procissões de penitência em honra de Nossa Senhora, prometendo-lhe um culto público. Tendo diminuído a mortandade em 1570, organizaram em 20 de abril a festiva procissão, que conduziu num rico andor a imagem da Virgem Maria, para agradecer-lhe a intercessão pelo benefício obtido junto a Deus. Conferiram-lhe o título de Nossa Senhora da Saúde. Também construíram uma igreja em sua honra e fundaram a Confraria de Nossa Senhora da Saúde.

Nossa Senhora de Schoenstatt

Nossa Senhora de Schoenstatt é um título que surgiu na Alemanha, com o Pe. José Kentenich, no século XX.

Pe. José nasceu no dia 18 de novembro de 1885 em Gymmich, perto de Colônia, na Alemanha. De profunda piedade mariana, tornou-se presbítero, foi professor e educador no Seminário dos Padres Palotinos em Schoenstatt. Proporcionou sólida formação mariana a seus alunos.

Atento aos sinais dos tempos, Pe. José, com um grupo de discípulos, criou, em 18 de outubro de 1914, "A Aliança de Amor com Nossa Senhora", na capelinha do Seminário. Assim nasceu a Obra de Schoenstatt, que se espalhou por muitos lugares do mundo.

Schoenstatt é uma pequena cidade alemã. O termo significa "belo lugar". Ali nasceu o primeiro santuário mariano de Nossa Senhora de Schoenstatt. Nele Maria é venerada como Mãe Rainha Vencedora Três Vezes Admirável.

Nossa Senhora de Schoenstatt é uma pintura que representa Maria a meio corpo, cercada de nuvens, vestindo uma túnica vermelha, um manto azul e um véu branco, cruzado no pescoço. Segura amorosamente o menino Jesus, coberto apenas por uma espécie de cueiro, do mesmo tecido do véu de sua mãe. Sobre sua cabeça, rodeada de uma auréola, aparece uma coroa coberta. A cabeça do menino está circundada por um resplendor.

Nossa Senhora de Sion

O culto a Nossa Senhora de Sion surgiu no século XIX, após a conversão de Afonso Maria Ratisbonne ao catolicismo.

Judeu, Afonso era ateu confesso e não estimava os cristãos. Seu irmão, Teodoro, era presbítero católico.

Em 19 de janeiro de 1842, Afonso, ao passar por Roma, resolveu visitar um amigo em sua casa, quando conheceu o irmão desse amigo, barão de Bussières, católico convicto, recém-convertido do protestantismo. Após dialogar sobre religião, o barão o presenteou com a Medalha Milagrosa. Recebendo o presente por educação, o judeu o colocou no pescoço.

No outro dia, Afonso encontrou-se com o barão e entrou com ele na igreja de Santo André. No interior daquele templo, Nossa Senhora apareceu ao judeu, revelando-se uma mulher majestosa, vestida com uma túnica branca e um manto azul, olhando-o com imensa misericórdia. Após a aparição, ele procurou um sacerdote, solicitando-lhe o batismo na Igreja Católica. Depois de ser catequizado, foi batizado pelo Cardeal Patrizi.

Posteriormente, Afonso tornou-se sacerdote. Com seu irmão, o Pe. Teodoro fundou um instituto religioso dedicada à conversão dos judeus. Quando ambos procuravam um novo título de Maria para ser a patrona do instituto, Teodoro encontrou um livro de oração, deparando com o nome bíblico: "Sion" (Sião). Assim, nomearam-na de Nossa Senhora do Sion.

A devoção foi divulgada no Brasil a partir de 1889.

Nossa Senhora da Soledade

Nossa Senhora da Soledade retrata a Virgem Maria de pé, com olhar triste e com trajes pretos ou roxos. Suas mãos aparecem juntas, sobre o peito, com os dedos cruzados, ou seguram um lenço para secar suas lágrimas. Sua cabeça está coberta por um véu comprido, que se estende até os pés.

Em outras imagens, a Mãe do Salvador encontra-se sentada ou de pé junto à cruz, fitando com os olhos lacrimosos a cruz. Segura um lençol de linho, lembrando aquele que envolveu o corpo do seu filho morto.

A devoção a Nossa Senhora da Soledade é muito antiga na Igreja. Depois que os cristãos saíram das catacumbas e receberam permissão para o seu culto público, fizeram os primeiros crucifixos. Posteriormente, passaram a representar junto à cruz a imagem da Mãe de Deus que sofre com a paixão e a morte de Jesus.

A devoção desenvolveu-se na Espanha, particularmente no Sul.

Os espanhóis trouxeram a devoção para o Brasil, por ocasião da dominação andaluza, no século XVII. Fixou-se em Salvador, Bahia.

Da Bahia, a devoção propagou-se para outros lugares, sobretudo Minas Gerais. Há diversas igrejas e cidades mineiras com o nome de Nossa Senhora da Soledade.

Em Minas Gerais, uma das primeiras povoações que recebeu o nome mariano foi Soledade de Itajubá, a atual Delfim Moreira. Foi fundada ainda no tempo dos bandeirantes.

Nossa Senhora da Visitação

Nossa Senhora da Visitação apresenta a Virgem Maria de pé, cumprimentando sua parenta Isabel. Com a cabeça abaixada, Isabel está com os braços estendidos para a Mãe de Deus.

A origem do referido título provém da visita que Maria fez à sua parenta Isabel, conforme atesta a Bíblia (Lc 1,39-56). Isabel estava grávida de João Batista, o precursor do Salvador. Por isso, ela necessitava da ajuda de Maria, que também já estava grávida de Jesus Cristo.

Sua festividade litúrgica é celebrada pela Igreja no último dia de maio, o qual tem um caráter eminentemente mariano. Sua raiz é remota na liturgia romana do século VI, em função da preparação para o Natal do Senhor.

Sua comemoração já era promovida pelos franciscanos no século XIII. Eles a celebravam na sua Ordem desde 1263. Mais tarde, São Francisco de Sales fundou as irmãs da Visitação, propondo que elas imitassem as virtudes de que Maria se tornou modelo ao visitar Isabel.

Em 1386, D. João Jenstein, arcebispo de Praga, introduziu a festa da visitação de Nossa Senhora em sua diocese. Em 1389, o Papa Urbano a estendeu a toda a Igreja Católica, marcando-a para o dia 2 de julho. Recentemente a data passou para 31 de maio.

Em Portugal, por determinação do rei Dom Manuel, o Venturoso, as festividades de Nossa Senhora da Visitação eram celebradas com grande pompa. De lá passaram para o Brasil.

Nossa Senhora da Vitória

Nossa Senhora da Vitória constitui uma devoção antiga do povo. O título foi dado pelo Papa Pio V (1566-1572).

No século XVI, a força naval dos muçulmanos ameaçava conquistar a Europa pelo mar Mediterrâneo. Pio V procurou enfrentar o perigo de invasão, conseguindo a aliança da Espanha com Veneza. A esquadra aliada obteve a vitória contra os inimigos em Lepanto, na Grécia, em 7 de outubro de 1571.

Durante a batalha, o Papa convocou os cristãos para que rezassem, implorando a proteção da Mãe de Deus. Em sinal de gratidão à Virgem Maria pelo triunfo da esquadra cristã, o Sumo Pontífice atribui-lhe o título de Nossa Senhora da Vitória.

A invocação de Nossa Senhora da Vitória já existia em Portugal desde a época do rei D. João I. No Brasil a devoção já vem desde o período colonial. Os pesquisadores estimam cerca de 18 igrejas dedicadas a esse título no Brasil.

A Nossa Senhora da Vitória representa a Virgem Maria de pé, com o menino Jesus no braço esquerdo. Ela segura com a mão direita um estandarte ou uma palma, símbolo da vitória. Traja uma túnica coberta por um manto enfeitado de desenhos dourados. Jesus e sua mãe trazem coroas sobre suas cabeças.

Nossa Senhora das Vitórias

Nossa Senhora das Vitórias constitui uma invocação de origem francesa, do século XVII, dada pelo rei Luís XIII.

A devoção a Nossa Senhora das Vitórias origina-se do grande triunfo obtido pelo rei Luís XIII contra a praça forte de La Ropochelle, importante porto francês do período medieval e reduto fortificado dos protestantes. A revolta dos Huguenotes foi desmantelada pelo monarca.

Luís XIII solicitou que em todas as igrejas de Paris fossem feitas orações públicas, suplicando a intercessão da Virgem Maria pelo êxito do exército francês. Em ação de graças pela ajuda da Mãe de Deus, o rei católico mandou construir um templo em sua honra, o célebre Santuário de Nossa Senhora das Vitórias, em Paris.

No século XIX o reitor do Santuário, Pe. Desgenettes, fundou uma confraria de preces para a conversão dos pecadores, que congrega atualmente cerca de 20 milhões de adeptos em todo o mundo. A devoção a Nossa Senhora das Vitórias já está presente no Brasil.

A Nossa Senhora das Vitórias representa a Virgem Maria de pé, trajada com uma túnica branca e um manto azul que envolve seu corpo. Ela segura com suas duas mãos o menino Jesus, que está de pé sobre o globo terrestre, colocado à direita de Maria. Os dois trazem coroas em suas cabeças.

BIBLIOGRAFIA

ADUCCI, E. *Maria e seus títulos gloriosos.* São Paulo: Ed. Loyola, 1955.

_____. *Maria e seus títulos gloriosos.* 2º volume. São Paulo: Ed. Loyola, 1967.

ALMEIDA, L. P. *Maria, feliz és tu que acreditaste.* Vol. IV. Belo Horizonte: Ed. Lutador, 1999.

ALTEMEYER, F. *Aparecida: caminhos da fé.* São Paulo: E. Loyola, 1998.

_____. *Maria, Filha Predileta do Pai e Modelo de Caridade.* Aparecida: Ed. Santuário/Academia Marial de Aparecida: 2000.

Alves, J. *Os santos de cada dia.* São Paulo: Ed. Paulinas, 1990.

AMARAL, E. G. *O Rosário da Virgem Maria para o povo de Deus.* São Paulo: Ed. Loyola, 2002.

ANGELOZZI, G. A. *Aparecida: a Senhora dos esquecidos.* Petrópolis: Vozes, 1997.

ANNUNCIAÇÃO, C. A. *A peregrinação na vida atual da Igreja latino-americana.* Aparecida: Editora Santuário/Academia Marial de Aparecida: 1988.

AQUINO, F. R. Q. de. *A mulher do Apocalipse.* Cachoeira Paulista/SP: Ed. Loyola/Canção Nova, 1995.

ATTWAER, D. *Dicionário de Santos.* São Paulo: Art Ed., 1991.

AUTRAN, A. M. *Maria apresentada aos jovens.* Belo Horizonte, Manual "Ano Jubilar da Redenção", 1983.

AYALA, V. *Celebrações Marianas.* Portugal, Porto: Ed. Perpétuo Socorro, 1993.

AZEVEDO, M. Q. *O Culto a Maria no Brasil: história e teologia.* Aparecida: Ed. Santuário, 2001.

BALEN, C. V. *Maria: reflexão, prece, revisão.* Petrópolis: Ed. Vozes, 1995.

BARBOSA, M. A. *Evangelizando pelas Romarias.* São Paulo: Ed. Paulinas, 1985.

BARROS, D. *O ícone Nossa Senhora do Perpétuo Socorro.* Impresso da C.Ss.R., RJ, 1995

BART, A. *Maria Nossa Mãe.* Petrópolis, Ed. Vozes, 1997.

BASADONNA, G.; SANTARELLI, G. *As ladainhas de Nossa Senhora.* São Paulo: Loyola, 2000

BECKHÄUSER, A. *Celebrar a vida cristã.* Petrópolis: Ed. Vozes, 1988.

BEINERT, W. (Org.). *O culto a Maria hoje.* São Paulo: Ed. Paulus, 1980.

BERNARD, B. *A Rainha do Céu.* Lisboa/São Paulo: Ed. Verbo, 1990.

BETTENCOURT, E. T. *Curso de Mariologia.* Rio de Janeiro, Escola "Mater Ecclesiae", 1995.

_____. *Visões e Aparições de Nossa Senhora.* Aparecida: Ed. Santuário/Academia Marial de Aparecida: 1999.

BISINOTO, E. A.; MORAES, M. I.; RIBEIRO, Z. A. *Catecismo de Nossa Senhora.* Aparecida: Ed. Santuário/Academia Marial de Aparecida/Centro de Pastoral Popular, 2000.

_____. *Santuário de Aparecida: Centro Mariano de Evangelização.* Aparecida: Ed. Santuário/Academia Marial de Aparecida: 2000.

_____. *As dores de Nossa Senhora.* Aparecida: Ed. Santuário/Academia Marial de Aparecida: 1999.

_____. *Quadro de Nossa Senhora do Perpétuo Socorro: um dos ícones mais conhecidos*. Aparecida: Ed. Santuário/Academia Marial de Aparecida: 2004.

_____. *Para conhecer e amar Nossa Senhora – Formação Mariana*. Aparecida: Ed. Santuário, 2005.

BOFF, C. *Introdução à Mariologia*. Petrópolis: Ed. Vozes, 2004.

_____. *Maria na cultura brasileira. Aparecida, Iemanjá, N. S. da Libertação*. Petrópolis: Ed. Vozes, 1995.

_____. *O cotidiano de Maria de Nazaré*. São Paulo: Ed. Salesiana, 2003.

BOFF, L. *A Ave Maria – O feminino e o Espírito Santo*, 6ª. ed. Petrópolis: Ed. Vozes, 1998.

_____. *Maria e o feminino de Deus*. São Paulo: Ed. Paulus, 1997.

_____. *Maria na vida do povo – Ensaios de Mariologia na ótica latino-americana e caribenha*. São Paulo: Ed. Paulus, 2001.

_____. *O rosto materno de Deus. Ensaio interdisciplinar sobre o feminino e suas formas religiosas*. Petrópolis: Ed. Vozes, 1979.

BOGAZ, A. S. *Nos passos de Maria: para meditar o rosário a cada dia*. São Paulo: Ed. Paulinas, 2003.

BOJORGE, H. *A figura de Maria através dos evangelistas*. São Paulo: Ed. Loyola, 1997.

BONETTI, A. *As dores de Nossa Senhora*. Aparecida: Ed. Santuário, 1996.

BRAZÃO, S. M. *A Ave-Maria*. São Paulo: Ed. Ave-Maria, 1995.

_____. *A Salve-Rainha*. São Paulo: Ed. Ave-Maria, 1995.

BRINI, W. *Maria e o Pai – Reflexões para o mês de maio*. São Paulo: Ed. Recado, 2003.

BROWN, R. (Org.). *Maria no Novo Testamento*. São Paulo: Ed. Paulus, 1985.

BRUSTOLIN, L. A. *Maria, símbolo do cuidado de Deus: aparição de nossa Senhora em Caravaggio*. São Paulo: Ed. Paulinas, 2004.

BRUSTOLONI, J. J. *História de Nossa Senhora da Conceição Aparecida: a imagem, o santuário e as romarias*. Aparecida: Ed. Santuário, 1998.

BRUSTOLONI, J. J. *Nossa Senhora Aparecida: sua imagem e seu santuário*. Aparecida: Ed. Santuário, 1998.

BUONFIGLIO, M. *Virgem Maria, a Rainha dos Anjos*. São Paulo: Ed. Mônica Buonfiglio Ltda., 2003.

CALIMAN, C. (Org.). *Teologia e devoção mariana no Brasil*. São Paulo: Ed. Paulinas, 1989.

CAMILO JR., L. *As sete dores de Maria, Mãe de Jesus*. Aparecida: Ed. Santuário, 2002.

CAMPANHA, J. A. *Maria na América Latina antes e depois do Concílio Vaticano II: devoção, teologia e magistério episcopal*. Roma: Pont. Fac. Theologica S. Bonaventurae, 1999.

CARVALHO, J. G. V. *Temas Marianos*. Viçosa: Ed. Folha de Viçosa, 1986.

CASTRO, J. V. *Manual do Romeiro: povo de Deus a caminho*. São Paulo: Ed. Paulus, 1994.

Catecismo da Igreja Católica. Edição revisada de acordo com o texto oficial em latim. Petrópolis: Ed. Vozes e outras, 1999.

CAZELLES, H. e outros. *Dicionário Mariano*. Portugal, Porto: Ed. Perpétuo Socorro, 1988.

CEGALA, J. *Maria, a mulher da libertação*. Aparecida: Ed. Santuário, 1984.

CNBB. *Com Maria, Rumo ao Novo Milênio. A Mãe de Jesus, na devoção, na Bíblia e nos dogmas*. São Paulo: Ed. Paulinas, 1998.

Compêndio do Concílio Vaticano II. Petrópolis, RJ: Vozes.

CONGREGAÇÃO MARIANA. *Marianinhos: uma experiência de renovação.* RJ, Confederação Nacional das Congregações Marianas do Brasil.

CONTI, S. *O santo do dia.* Petrópolis, Vozes, 1997.

COPPI, P. *Profetas do Reino – Apresentação de famílias religiosas que trabalham no Brasil.* São Paulo: Ed. "Mundo e Missão", 1998.

CORAZZA, H. *Ladainha de Nossa Senhora – Para a hora da Ave-Maria.* Programas Radiofônicos, São Paulo: Paulinas, 2003.

COYLE, K. *Maria na tradição cristã: a partir da perspectiva contemporânea.* São Paulo: Ed. Paulus, 1999.

DELGADO, J. L. M. (Dir.). *A Realeza de Maria – I Congresso Mariológico de Aparecida.* Aparecida: Ed. Santuário/Academia Marial de Aparecida: 2004.

DAIX, G. *Dicionário dos Santos – do calendário romano e dos beatos portugueses.* Lisboa, Portugal: Ed. Terramar, 2000.

DIRETÓRIO SOBRE PIEDADE POPULAR E LITURGIA – PRINCÍPIOS E ORIENTAÇÕES. Congregação para o Culto Divino e a Disciplina dos Sacramentos. São Paulo: Ed. Paulinas, 2003.

Documento De Puebla. Conclusões Da III Conferência Geral do Episcopado Latino-Americano. São Paulo: Ed. Paulinas, 1979.

DORADO, A. G. *De Maria conquistadora a Maria libertadora. Mariologia popular latino-americana.* São Paulo: Ed. Loyola, 1992.

DUMOULIN, P. O *Magnificat: uma escola de oração.* São Paulo: Ed. Ave-Maria, 2003.

ÉNARD, A. *Alegra-te, Maria – Introdução à prece marial.* São Paulo: Ed. Loyola, 1987.

FARANO, V. M. *Com Maria, a Mãe de Jesus.* Porto Alegre: Esc. Sup. de Teologia São Lourenço de Brindes, 1983.

FERRAZ, O. *Maria, Mãe de Deus: títulos que honram Nossa Senhora.* Curitiba: Ed. Novo Rumo, 2003.

FERREIRA, J. L. M. *Maria – Introdução à Mariologia.* Aparecida: Ed. Santuário, 2000.

_____. *Maria na América Latina.* Bragança Paulista: Opúsculo, 1992.

FERREIRA, B. P. e GUIRELI JÚNIOR, L. *Santuário Nossa Senhora da Medalha Milagrosa.* Impresso: Gráfica Vida e Consciência, 1999.

FINKLER, P. *Miriam.* São Paulo: Ed. Loyola, 1999.

FIORES, S. D. e MEO, S. (Dir.). *Dicionário de Mariologia.* São Paulo: Ed. Paulus, 1995.

FORTE, B. *Maria, a mulher ícone do mistério.* São Paulo: Ed. Paulus, 1991.

GALDEANO, J. G. *Com flores a Maria.* Porto, Ed. Perpétuo Socorro, 1985.

GALVÃO, A. M. *O rosto de Maria.* São Paulo: Ed. Ave Maria, 1992.

GAMBARINI, A. *Maria, a mensageira do céu.* Itapecerica da Serra, Ed. Ágape, 2000.

GEBARA, I. e BINGEMER, M. C. *Maria, Mãe de Deus e Mãe dos Pobres*, 4ª. ed. Ed. Petrópolis, Vozes, 1994.

GONZÁLEZ, C. I. *Maria, evangelizada e evangelizadora.* São Paulo: Ed. Loyola, 1990.

GRZYVACZ, J. *Nossa Senhora do Perpétuo Socorro – História, Interpretação e Teologia.* PUC-Salvador, 1991.

_____. *Santuário Mariano: Arraial D'Ajuda.* Porto Seguro: Centro Missionário Redentorista, 2001.

GUITTON, J. *A Virgem Maria, Nossa Senhora.* Portugal/Brasil: Livraria Tavares Martins, 1959.

HOERNI-JUNG, H. *Maria Imagem do Feminino.* São Paulo: Ed. Pensamento, 1991.

JOÃO PAULO II. *A Virgem Maria – 58 Catequeses do Papa sobre Nossa Senhora.* Lorena: Ed. Cléofas, 2000.

_____. *A Virgem Maria. 58 Catequeses do Papa sobre Nossa Senhora.* Lorena: Ed. Cléofas, 2000.

_____. *Redemptoris Mater.* 1989.

_____. *Rosarium Virginis Mariae.* 2002.

_____. *Tertio Millennio Adveniente.* 1994.

JOHNSTON, F. *O milagre de Guadalupe.* Aparecida: Ed. Santuário, 2005.

JOURNET, C. *Pequeno catecismo da Virgem Santíssima.* São Paulo: Ave Maria, 1996.

KALA, T. *Meditações sobre os ícones.* São Paulo: Ed. Paulus, 1995.

KRIEGER, M. S. R. *Com Maria, a Mãe de Jesus.* São Paulo, Ed. Paulinas, 2001.

_____. *Um mês com Maria: reflexões para o dia-a-dia.* São Paulo: Ed. Paulinas, 2003.

LAURENTIN, R. *Breve Tratado de Teologia Mariana.* Petrópolis, Ed. Vozes, 1965

LICATI, A. *A caminho com Maria.* Aparecida: Ed. Santuário, 2002.

LIGÓRIO, A. M. *Glórias de Maria.* Aparecida: Ed. Santuário, 1989.

LIMA, A. L. S. *Festas Marianas seguindo os passos de Maria.* São Paulo: Ed. Paulus, 1993.

LIMA, R. A. *Santo Afonso, o servo de Maria.* Aparecida: Ed. Santuário/Academia Marial, 2000.

LODI, E. *Os santos do calendário romano.* São Paulo: Ed. Paulus, 2001.

LONDOÑO, N.; CEBALLOS, F. e ARIAS, L. A. *Nossa Senhora do Perpétuo Socorro.* Roma, C.Ss.R., 1997.

LOPES, J. C. *Terço das Sete Dores de Nossa Senhora.* São Paulo: Ed. Paulus, 1998.

LORSCHEIDER, A. *A fé da Virgem Maria.* Aparecida: Ed. Santuário/Academia Marial de Aparecida, 1999.

MACHADO, H. L. R. *Mariologia*. São José dos Campos, Ed. Com Deus, 1998.

MACIEL, J. M. *Imaculada Conceição de Maria Santíssima: aspectos históricos*. Aparecida: Ed. Santuário/Academia Marial de Aparecida: 1999.

MAIA, A. *História de Nossa Senhora*. Círculo de Estudos, RJ: Companhia Brasileira de Artes Gráficas, 1989.

_____. *Pequeno Dicionário de Nossa Senhora*. Círculo de Estudos, RJ: Companhia Brasileira de Artes Gráficas, 1986.

MANELLI, E. M. *Maria: mulher que encanta – Devoção a Nossa Senhora*. Petrópolis: Ed. Vozes,1995.

_____. *A devoção a Nossa Senhora. Vida Mariana na Escola dos Santos*. Anápolis: Ed. Casa Mariana Nossa Senhora Aparecida/Serviço de Animação Eucarística Mariana, 2003.

MEGALE, J. B. *A palavra e a rosa. A Mãe de Jesus na luz da Palavra de Deus*. São Paulo: Ed. Ave Maria, 2003.

_____. *Eis a Rosa. A Maria, a mulher mais louvada*. São Paulo: Ed. Paulinas, 1999.

_____. (Textos). *Nossa Senhora: invocações da Virgem Maria*. Rio de Janeiro: Ed. Marques Saraiva, 2002.

_____. *Invocações da Virgem Maria no Brasil*, 5ª ed., Petrópolis: Ed. Vozes, 1998.

_____. *Maria no folclore brasileiro*. Aparecida: Ed. Santuário/Academia Marial de Aparecida, 2000.

MEHLER, L. *Ave Maria: Oração da Mãe do Senhor*. São Paulo: ARTPRESS, 2003.

MESTES, C. *Maria, Mãe de Jesus*, 10ª edição. Petrópolis: Vozes, 1997.

MIRANDA, A. A. *Maria, Esposa do Espírito Santo e Modelo de Esperança*. Aparecida: Ed. Santuário/Academia Marial de Aparecida, 1999.

Missal Cotidiano. São Paulo: Ed. Paulus, 1997.

Missal Romano. 6ª edição. São Paulo: Ed. Paulus, 1992.

MONFORT, L. M. G. *Tratado da verdadeira devoção à Santíssima Virgem*. 18ª edição. Petrópolis: Ed. Vozes, 1992.

MOREIRA, F. A. M. *Festas litúrgicas de Jesus e Maria*. São Paulo: Ed. Loyola, 2003.

MOSER, H. *Caminhando com Maria rumo ao Novo Milênio*. 3ª edição. São Paulo: Ed. Salesiana, 1998.

MUNARI, T. *Uma Mãe para o homem do Terceiro Milênio*. São Paulo: Ed. Paulus, 1999.

MURAD, A. *Quem é esta mulher? Maria na Bíblia*. São Paulo: Ed. Paulinas, 1996.

_____. *Visões e Aparições. Deus continua falando*. Petrópolis: Ed. Vozes, 1997.

OLIVEIRA, B. de. *Maria Figura e Títulos*. Volta Redonda: C. N. B. da Sociedade de São Vicente de Paula, 1999.

OLIVEIRA, O. *Virgem Maria, Mãe de Deus e Mãe dos Homens*. Mariana: Ed. Dom Viçoso, 1968.

OSANNA, T. F. *Maria nossa irmã*. São Paulo: Ed. Paulinas, 1992.

PALANCÍN, C.; PISANESCHI, N. *Santo de cada dia, rogai por nós! Santoral Popular*. São Paulo: Ed. Loyola, 1991.

PAULO VI. *Marialis Cultus*. 1974.

PELIKAN, J. *Maria através dos séculos. Seu papel na história da cultura*. São Paulo: Ed. Companhia das Letras, 2000.

PONTIFÍCIO CONSELHO PARA PASTORAL DOS MIGRANTES E ITINERANTES. *O Santuário: Memória, Presença e Profecia do Deus Vivo*. Aparecida: Ed. Santuário/Academia Marial de Aparecida, 1999.

RAMOS, L. *A Padroeira: origem do culto à Senhora Aparecida*. São Paulo: Ed. Paulinas, 1992.

RANGEL, P. *Maria, Maria... Ladainha: invocações e metáforas feitas para louvar*. Belo Horizonte: Ed. O Lutador, 1991.

RAUEN, B. *Nossa Senhora da Salette: Padroeira dos agricultores.* Curitiba: Ed. Benedito Raueu, 1997.

REIS, E. S. *Maria Padroeira da América Latina e suas invocações.* Aparecida: Ed. Santuário, 2000.

RIBEIRO, Z. *Da Sempre Rainha Nossa Senhora Aparecida. História e Acontecimentos.* Aparecida: Ed. Santuário, 2004.

ROMAN, E. N. *Aparições de Nossa Senhora: suas mensagens e milagres.* São Paulo: Ed. Paulus, 2001.

SALVAGET, L. *Maria de todas as graças.* Rio de Janeiro: Ed. Bertrand Brasil, 1997.

SANTA MARIA, A. *Santuário Mariano e História das Imagens Milagrosas em Portugal e nas Conquistas.* Vols. I a IX. Portugal: Oficina Antônio Pedrosos Galvan, 1710 a 1722.

SANTANA, A. *Maria: conheça melhor, ame mais Nossa Senhora.* Belo Horizonte: Ed. O Arauto, 1988.

SANTIDRIÁN, P. R.; ASTRUGA, M. C. *Dicionário dos Santos.* Aparecida: Ed. Santuário, 2004.

SANTOS, A. A. *Nossa Senhora Desatadora dos Nós – Devoção muito indicada para os fiéis de nossos dias.* São Paulo: Artpress, 2002.

SARTORE, D.; TRIACCA, A . M. *Dicionário de Liturgia.* São Paulo: Ed. Paulinas/Ed. Paulistas, 1992.

SAVAGET, L. *Maria de todas as graças.* Rio de Janeiro: Ed. Betrand Brasil, 1997.

SCHEPER, W. *Salve, cheia de graça.* Petrópolis: Ed. Vozes, 1989.

SCHNEIDER, A. *Nossa Senhora do Perpétuo Socorro – História, Culto e Devoção.* Aparecida: Ed. Santuário, 1991.

SCIADINI, P. *Maria de todos nós.* 7ª ed. São Paulo: Ed. Paulus, 1978.

SETTI, E. L. *Catequese marial ao alcance de todos.* São Paulo: Ed. FTD, 1990.

SETTI, E. L. *Celebrações Mariais*. São Paulo: Ed. Loyola, 1993.

SILVA, D. M. da. *A Ladainha de Nossa Senhora em Sonetos*. Franca: Cristal Gráfica Editora e Fotolito Ltda., 2002.

SOLIMEO, G. A.; SOLIMEO, L. S. *Rainha do Brasil – A maravilhosa história e os milagres de Nossa Senhora da Conceição Aparecida*. 8ª edição. São Paulo: Artpresses Indústria Gráfica e Ed. Ltda., 1995.

SOUZA, A. C. S. *As festas de Nossa Senhora*. Folheto "Nós e nós", Aparecida: Ed. Santuário.

TAVARD, G. H. *As múltiplas faces da Virgem Maria*. São Paulo: Ed. Paulus,1999.

TEIXEIRA, P. *Brasil de Maria – Anuário de Nossa Senhora*. São Paulo: Impresso Ed. Paulinas, 1998.

TEIXEIRA, P. *Contos Mariais: Histórias e lendas sobre Nossa Senhora*. Manhumirim: Opúsculo, 1996.

TOTH, V. *Louvores à Virgem Maria*. São Paulo: Ed. Ave Maria, 1993.

V.V. A.A. *Maria Mãe de Jesus*. Lisboa: Ed. Paulistas, 1988.

V.V. A.A. *Maria Mãe dos homens*. Lisboa: Ed. Paulistas, 1989.

V.V. A.A. *Nossa Senhora: invocações da Virgem Maria*. Rio de Janeiro: Ed. Marques Saraiva, 2002.

V.V. A.A. *O culto a Maria hoje*. São Paulo: Ed. Paulinas, 1979.

VEIGA, A. M. *Nossa Senhora do Perpétuo Socorro – Mensagem, História e Novena*. Portugal, Porto: Editorial Perpétuo Socorro, 1987.

VIDIGAL DE CARVALHO, J. G. *Temas Marianos*. Viçosa: Ed. Folha de Viçosa, 2002.

Índice